LA CHUTE

ŒUVRES D'ALBERT CAMUS

Récits-Nouvelles

L'ÉTRANGER.

LA PESTE.

LA CHUTE.

L'EXIL ET LE ROYAUME.

Essais

NOCES.

LE MYTHE DE SISYPHE.

LETTRES A UN AMI ALLEMAND.

ACTUELLES, chroniques 1944-1948.

ACTUELLES II, chroniques 1948-1953.

CHRONIQUES ALGÉRIENNES, 1939-1958 *(Actuelles III)*.

L'HOMME RÉVOLTÉ.

L'ÉTÉ.

L'ENVERS ET L'ENDROIT.

DISCOURS DE SUÈDE.

CARNETS, mai 1935 - février 1942.

Théâtre

LE MALENTENDU — CALIGULA.

L'ÉTAT DE SIÈGE.

LES JUSTES.

Adaptations et Traductions

LES ESPRITS, de Pierre de Larivey.

LA DÉVOTION A LA CROIX, de Pedro Calderon de la Barca.

REQUIEM POUR UNE NONNE, de William Faulkner.

LE CHEVALIER D'OLMEDO, de Lope de Vega.

LES POSSÉDÉS, d'après le roman de Dostoïevski.

ALBERT CAMUS

LA CHUTE

récit

GALLIMARD
5, rue Sébastien-Bottin, Paris VIIᵉ

Il a été tiré de l'édition originale de cet ouvrage trente-cinq exemplaires sur vélin de Hollande van Gelder, dont trente numérotés de 1 à 30 et cinq, hors commerce, marqués de A à E ; deux cent trente-cinq exemplaires sur vélin pur fil Lafuma-Navarre, dont deux cent vingt-cinq numérotés de 31 à 255 et dix, hors commerce, marqués de F à O ; et mille cinquante exemplaires reliés sur vélin labeur dont mille numérotés de 256 à 1255 et cinquante, hors commerce, numérotés de 1256 à 1305.

Il a été tiré en outre dix exemplaires sur alfa Navarre marqués de a à j.

Puis-je, Monsieur, vous proposer mes services, sans risquer d'être importun ? Je crains que vous ne sachiez vous faire entendre de l'estimable gorille qui préside aux destinées de cet établissement. Il ne parle, en effet, que le hollandais. A moins que vous ne m'autorisiez à plaider votre cause, il ne devinera pas que vous désirez du genièvre. Voilà, j'ose espérer qu'il m'a compris ; ce hochement de tête doit signifier qu'il se rend à mes arguments. Il y va, en effet, il se hâte, avec une sage lenteur. Vous avez de la chance, il n'a pas grogné. Quand il refuse de servir, un grognement lui suffit : personne n'insiste. Etre roi de ses humeurs, c'est le privilège des grands animaux. Mais je me retire, Monsieur, heureux de vous avoir obligé. Je vous remercie et j'accepterais si j'étais sûr de ne pas jouer les fâcheux. Vous êtes trop bon. J'installerai donc mon verre auprès du vôtre.

Vous avez raison, son mutisme est assourdissant. C'est le silence des forêts primitives, chargé jusqu'à la gueule. Je m'étonne parfois de l'obstination que met notre taciturne ami à bouder les langues civilisées. Son métier consiste à recevoir des marins de toutes les nationalités dans ce bar d'Amsterdam qu'il a appelé d'ailleurs, on ne sait pourquoi, *Mexico-City*. Avec de tels devoirs, on peut craindre, ne pensez-vous pas, que son ignorance soit inconfortable ? Imaginez l'homme de Cro-Magnon pensionnaire à la tour de Babel ! Il y souffrirait de dépaysement, au moins. Mais non, celui-ci ne sent pas son exil, il va son chemin, rien ne l'entame. Une des rares phrases que j'aie entendues de sa bouche proclamait que c'était à prendre ou à laisser. Que fallait-il prendre ou laisser ? Sans doute, notre ami lui-même. Je vous l'avouerai, je suis attiré par ces créatures tout d'une pièce. Quand on a beaucoup médité sur l'homme, par métier ou par vocation, il arrive qu'on éprouve de la nostalgie pour les primates. Ils n'ont pas, eux, d'arrière-pensées.

Notre hôte, à vrai dire, en a quelques-unes, bien qu'il les nourrisse obscurément. A force de ne pas comprendre ce qu'on dit en sa présence, il a pris un caractère défiant. De là cet air de gravité ombrageuse, comme s'il avait le soupçon, au moins, que quelque chose ne tourne pas rond entre les hommes. Cette disposition rend moins faciles les discussions qui ne concernent pas son métier. Voyez, par exemple, au-dessus de sa tête, sur le mur du fond, ce rectangle vide qui marque la place d'un tableau décroché. Il y avait là, en effet, un tableau, et particulièrement intéressant, un vrai chef-d'œuvre. Eh bien, j'étais présent quand le maître de céans l'a reçu et quand il l'a cédé. Dans les deux cas, ce fut avec la même méfiance, après des semaines de rumination. Sur ce point, la société a gâté un peu, il faut le reconnaître, la franche simplicité de sa nature.

Notez bien que je ne le juge pas. J'estime

sa méfiance fondée et la partagerais volontiers si, comme vous le voyez, ma nature communicative ne s'y opposait. Je suis bavard, hélas ! et me lie facilement. Bien que je sache garder les distances qui conviennent, toutes les occasions me sont bonnes. Quand je vivais en France, je ne pouvais rencontrer un homme d'esprit sans qu'aussitôt j'en fisse ma société. Ah ! je vois que vous bronchez sur cet imparfait du subjonctif. J'avoue ma faiblesse pour ce mode, et pour le beau langage, en général. Faiblesse que je me reproche, croyez-le. Je sais bien que le goût du linge fin ne suppose pas forcément qu'on ait les pieds sales. N'empêche. Le style, comme la popeline, dissimule trop souvent de l'eczéma. Je m'en console en me disant qu'après tout, ceux qui bafouillent, non plus, ne sont pas purs. Mais oui, reprenons du genièvre.

Ferez-vous un long séjour à Amsterdam ? Belle ville, n'est-ce pas ? Fascinante ? Voilà un adjectif que je n'ai pas entendu depuis longtemps. Depuis que j'ai quitté Paris, justement, il y a des années de cela. Mais le cœur a sa mémoire et je n'ai rien oublié de notre belle capitale, ni de ses quais. Paris est un vrai trompe-l'œil, un superbe décor habité par quatre millions de silhouettes. Près de cinq millions, au dernier recensement ? Allons, ils auront fait des petits. Je ne m'en étonnerai pas. Il m'a toujours semblé que nos concitoyens avaient deux fureurs : les idées et la fornication. A tort et à travers, pour ainsi dire. Gardons-nous, d'ailleurs, de les condamner ; ils ne sont pas les seuls, toute l'Europe en est là. Je rêve parfois de ce que diront de nous les historiens futurs. Une phrase leur suffira pour l'homme moderne : il forniquait et lisait des journaux. Après cette forte définition, le sujet sera, si j'ose dire, épuisé.

Les Hollandais, oh non, ils sont beaucoup moins modernes ! Ils ont le temps, regardez-les. Que font-ils ? Eh bien, ces messieurs-ci vivent du travail de ces dames-là. Ce sont d'ailleurs, mâles et femelles, de fort bourgeoises créatures, venues ici, comme d'habitude, par mythomanie ou par bêtise. Par excès ou par manque d'imagination, en somme. De temps en temps, ces messieurs jouent du couteau ou du revolver, mais ne croyez pas qu'ils y tiennent. Le rôle l'exige, voilà tout, et ils meurent de peur en lâchant leurs dernières cartouches. Ceci dit, je les trouve plus moraux que les autres, ceux qui tuent en famille, à l'usure. N'avez-vous pas remarqué que notre société s'est organisée pour ce genre de liquidation ? Vous avez entendu parler, naturellement, de ces minuscules poissons des rivières brésiliennes qui s'attaquent par milliers au nageur imprudent, le nettoient, en quelques instants, à petites bouchées rapides, et n'en laissent qu'un squelette immaculé ? Eh bien, c'est ça, leur organisation. « Voulez-vous d'une vie propre ? Comme tout le monde ? » Vous dites oui, naturellement. Comment dire non ? « D'accord. On va vous nettoyer. Voilà un métier, une famille, des loisirs organisés. » Et les petites dents s'attaquent à la chair, jusqu'aux os. Mais je suis injuste. Ce n'est pas leur organisation qu'il faut dire. Elle est la nôtre, après tout : c'est à qui nettoiera l'autre.

On nous apporte enfin notre genièvre. A votre prospérité. Oui, le gorille a ouvert la bouche pour m'appeler docteur. Dans ces

pays, tout le monde est docteur, ou profes-
seur. Ils aiment à respecter, par bonté, et par
modestie. Chez eux, du moins, la méchanceté n'est pas une institution nationale. Au
demeurant, je ne suis pas médecin. Si vous
voulez le savoir, j'étais avocat avant de venir
ici. Maintenant, je suis juge-pénitent.

Mais permettez-moi de me présenter :
Jean-Baptiste Clamence, pour vous servir.
Heureux de vous connaître. Vous êtes sans
doute dans les affaires ? A peu près ? Excellente réponse ! Judicieuse aussi ; nous ne
sommes qu'à peu près en toutes choses.
Voyons, permettez-moi de jouer au détec-
tive. Vous avez à peu près mon âge, l'œil
renseigné des quadragénaires qui ont à peu
près fait le tour des choses, vous êtes à peu
près bien habillé, c'est-à-dire comme on l'est
chez nous, et vous avez les mains lisses.
Donc, un bourgeois, à peu près ! Mais un
bourgeois raffiné ! Broncher sur les impar-
faits du subjonctif, en effet, prouve deux fois
votre culture puisque vous les reconnaissez
d'abord et qu'ils vous agacent ensuite. Enfin,
je vous amuse, ce qui, sans vanité, suppose
chez vous une certaine ouverture d'esprit.

Vous êtes donc à peu près... Mais qu'importe ? Les professions m'intéressent moins que les sectes. Permettez-moi de vous poser deux questions et n'y répondez que si vous ne les jugez pas indiscrètes. Possédez-vous des richesses ? Quelques-unes ? Bon. Les avez-vous partagées avec les pauvres ? Non. Vous êtes donc ce que j'appelle un saducéen. Si vous n'avez pas pratiqué les Ecritures, je reconnais que vous n'en serez pas plus avancé. Cela vous avance ? Vous connaissez donc les Ecritures ? Décidément, vous m'intéressez.

Quant à moi... Eh bien, jugez vous-même. Par la taille, les épaules, et ce visage dont on m'a souvent dit qu'il était farouche, j'aurais plutôt l'air d'un joueur de rugby, n'est-ce pas ? Mais si l'on en juge par la conversation, il faut me consentir un peu de raffinement. Le chameau qui a fourni le poil de mon pardessus souffrait sans doute de la gale ; en revanche, j'ai les ongles faits. Je suis renseigné, moi aussi, et pourtant, je me confie à vous, sans précautions, sur votre seule mine. Enfin, malgré mes bonnes manières et mon beau langage, je suis un habitué des bars à matelots du Zeedijk. Allons, ne cherchez plus. Mon métier est double, voilà tout, comme la créature. Je vous l'ai déjà dit, je suis juge-pénitent. Une seule chose est simple dans mon cas, je ne possède rien. Oui, j'ai été riche, non, je n'ai rien partagé avec les autres. Qu'est-ce que cela prouve ? Que j'étais aussi un saducéen... Oh ! entendez-vous les sirènes du port ? Il y aura du brouillard cette nuit, sur le Zuyderzee.

Vous partez déjà ? Pardonnez-moi de vous avoir peut-être retenu. Avec votre permission, vous ne paierez pas. Vous êtes chez moi à *Mexico-City,* j'ai été particulièrement heureux de vous y accueillir. Je serai certainement ici demain, comme les autres soirs, et j'accepterai avec reconnaissance votre invitation. Votre chemin... Eh bien... Mais verriez-vous un inconvénient, ce serait le plus simple, à ce que je vous accompagne jusqu'au port ? De là, en contournant le quartier juif, vous trouverez ces belles avenues où défilent des tramways chargés de fleurs et de musiques tonitruantes. Votre hôtel est sur l'une d'elles, le Damrak. Après vous, je vous en prie. Moi, j'habite le quartier juif, ou ce qui s'appelait ainsi jusqu'au moment où nos frères hitlériens y ont fait de la place. Quel lessivage ! Soixante-quinze mille juifs déportés ou assassinés, c'est le nettoyage par le vide. J'admire cette application, cette méthodique patience ! Quand on n'a pas de caractère, il faut bien se donner une méthode. Ici, elle a fait merveille, sans contredit, et j'habite sur les lieux d'un des plus grands crimes de l'histoire. Peut-être est-ce cela qui m'aide à comprendre le gorille et sa méfiance. Je peux lutter ainsi contre cette pente de nature qui me porte irrésistiblement à la sympathie. Quand je vois une tête nouvelle, quelqu'un en moi sonne l'alarme. « Ralentissez. Danger ! » Même quand la sympathie est la plus forte, je suis sur mes gardes.

Savez-vous que dans mon petit village, au cours d'une action de représailles, un officier allemand a courtoisement prié une vieille femme de bien vouloir choisir celui de ses deux fils qui serait fusillé comme otage ? Choisir, imaginez-vous cela ? Celui-là ? Non, celui-ci. Et le voir partir. N'insistons pas, mais croyez-moi, monsieur, toutes les surprises sont possibles. J'ai connu un cœur pur qui refusait la méfiance. Il était pacifiste, libertaire, il aimait d'un seul amour l'humanité entière et les bêtes. Une âme d'élite, oui, cela est sûr. Eh bien, pendant les dernières guerres de religion, en Europe, il s'était retiré à la campagne. Il avait écrit sur le seuil de sa maison : « D'où que vous veniez, entrez et soyez les bienvenus. » Qui, selon vous, répondit à cette belle invitation ? Des miliciens, qui entrèrent comme chez eux et l'étripèrent.

Oh ! pardon, madame ! Elle n'a d'ailleurs rien compris. Tout ce monde, hein, si tard, et malgré la pluie, qui n'a pas cessé depuis des jours ! Heureusement, il y a le genièvre, la seule lueur dans ces ténèbres. Sentez-vous la lumière dorée, cuivrée, qu'il met en vous ? J'aime marcher à travers la ville, le soir, dans la chaleur du genièvre. Je marche des nuits durant, je rêve, ou je me parle interminablement. Comme ce soir, oui, et je crains de vous étourdir un peu, merci, vous êtes courtois. Mais c'est le trop-plein ; dès que j'ouvre la bouche, les phrases coulent. Ce pays m'inspire, d'ailleurs. J'aime ce peuple, grouillant sur les trottoirs, coincé dans un petit espace de maisons et d'eaux, cerné par des brumes, des terres froides, et la mer fumante comme une lessive. Je l'aime, car il est double. Il est ici et il est ailleurs.

Mais oui ! A écouter leurs pas lourds, sur le pavé gras, à les voir passer pesamment entre leurs boutiques, pleines de harengs dorés et de bijoux couleur de feuilles mortes, vous croyez sans doute qu'ils sont là, ce soir ? Vous êtes comme tout le monde, vous prenez ces braves gens pour une tribu de syndics et de marchands, comptant leurs écus avec leurs chances de vie éternelle, et dont le seul lyrisme consiste à prendre parfois, couverts de larges chapeaux, des leçons d'anatomie ? Vous vous trompez. Ils marchent près de nous, il est vrai, et pourtant, voyez où se trouvent leurs têtes : dans cette brume de néon, de genièvre et de menthe qui descend des enseignes rouges et vertes. La Hollande est un songe, monsieur, un songe d'or et de fumée, plus fumeux le jour, plus doré la nuit, et nuit et jour ce songe est peuplé de Lohengrin comme ceux-ci, filant rêveuse-

18

ment sur leurs noires bicyclettes à hauts gui-
dons, cygnes funèbres qui tournent sans
trêve, dans tout le pays, autour des mers, le
long des canaux. Ils rêvent, la tête dans leurs
nuées cuivrées, ils roulent en rond, ils prient,
somnambules, dans l'encens doré de la
brume, ils ne sont plus là. Ils sont partis à
des milliers de kilomètres, vers Java, l'île
lointaine. Ils prient ces dieux grimaçants
de l'Indonésie dont ils ont garni toutes leurs
vitrines, et qui errent en ce moment au-
dessus de nous, avant de s'accrocher, comme
des singes somptueux, aux enseignes et aux
toits en escaliers, pour rappeler à ces colons
nostalgiques que la Hollande n'est pas seulement l'Europe des marchands, mais la mer,
la mer qui mène à Cipango, et à ces îles où
les hommes meurent fous et heureux.

Mais je me laisse aller, je plaide ! Pardonnez-moi. L'habitude, monsieur, la vocation,
le désir aussi où je suis de bien vous faire
comprendre cette ville, et le cœur des choses !
Car nous sommes au cœur des choses. Avez-
vous remarqué que les canaux concentriques
d'Amsterdam ressemblent aux cercles de
l'enfer ? L'enfer bourgeois, naturellement

peuplé de mauvais rêves. Quand on arrive
de l'extérieur, à mesure qu'on passe ces cercles, la vie, et donc ses crimes, devient plus
épaisse, plus obscure. Ici, nous sommes dans
le dernier cercle. Le cercle des... Ah ! Vous
savez cela ? Diable, vous devenez plus difficile à classer. Mais vous comprenez alors
pourquoi je puis dire que le centre des choses
est ici, bien que nous nous trouvions à
l'extrémité du continent. Un homme sensible comprend ces bizarreries. En tout cas,
les lecteurs de journaux et les fornicateurs ne
peuvent aller plus loin. Ils viennent de tous
les coins de l'Europe et s'arrêtent autour de
la mer intérieure, sur la grève décolorée. Ils
écoutent les sirènes, cherchent en vain la
silhouette des bateaux dans la brume, puis
repassent les canaux et s'en retournent à travers la pluie. Transis, ils viennent demander,
en toutes langues, du genièvre à *Mexico-
City*. Là, je les attends.

A demain donc, monsieur et cher compatriote. Non, vous trouverez maintenant votre
chemin ; je vous quitte près de ce pont. Je ne
passe jamais sur un pont, la nuit. C'est la
conséquence d'un vœu. Supposez, après tout,

que quelqu'un se jette à l'eau. De deux
choses l'une, ou vous l'y suivez pour le
repêcher et, dans la saison froide, vous ris-
quez le pire ! Ou vous l'y abandonnez et les
plongeons rentrés laissent parfois d'étranges
courbatures. Bonne nuit ! Comment ? Ces
dames, derrière ces vitrines ? Le rêve, monsieur, le rêve à peu de frais, le voyage aux
Indes ! Ces personnes se parfument aux
épices. Vous entrez, elles tirent les rideaux et
la navigation commence. Les dieux descendent sur les corps nus et les îles dérivent,
démentes, coiffées d'une chevelure ébourif-
fée de palmiers sous le vent. Essayez.

Qu'est-ce qu'un juge-pénitent ? Ah ! je
vous ai intrigué avec cette histoire. Je n'y
mettais aucune malice, croyez-le, et je peux
m'expliquer plus clairement. Dans un sens,
cela fait même partie de mes fonctions. Mais
il me faut d'abord vous exposer un certain
nombre de faits qui vous aideront à mieux
comprendre mon récit.

Il y a quelques années, j'étais avocat à
Paris et, ma foi, un avocat assez connu. Bien
entendu, je ne vous ai pas dit mon vrai nom.
J'avais une spécialité : les nobles causes. La
veuve et l'orphelin, comme on dit, je ne sais
pourquoi, car enfin il y a des veuves abusives
et des orphelins féroces. Il me suffisait cepen-

dant de renifler sur un accusé la plus légère odeur de victime pour que mes manches entrassent en action. Et quelle action ! Une tempête ! J'avais le cœur sur les manches. On aurait cru vraiment que la justice couchait avec moi tous les soirs. Je suis sûr que vous auriez admiré l'exactitude de mon ton, la justesse de mon émotion, la persuasion et la chaleur, l'indignation maîtrisée de mes plaidoiries. La nature m'a bien servi quant au physique, l'attitude noble me vient sans effort. De plus, j'étais soutenu par deux sentiments sincères : la satisfaction de me trouver du bon côté de la barre et un mépris instinctif envers les juges en général. Ce mépris, après tout, n'était peut-être pas si instinctif. Je sais maintenant qu'il avait ses raisons. Mais, vu du dehors, il ressemblait plutôt à une passion. On ne peut pas nier que, pour le moment, du moins, il faille des juges, n'est-ce pas ? Pourtant, je ne pouvais comprendre qu'un homme se désignât lui-même pour exercer cette surprenante fonction. Je l'admettais, puisque je le voyais, mais un peu comme j'admettais les sauterelles. Avec la différence que les invasions

de ces orthoptères ne m'ont jamais rapporté
un centime, tandis que je gagnais ma vie en
dialoguant avec des gens que je méprisais.

Mais voilà, j'étais du bon côté, cela suffisait à la paix de ma conscience. Le sentiment
du droit, la satisfaction d'avoir raison, la joie
de s'estimer soi-même, cher monsieur, sont
des ressorts puissants pour nous tenir debout
ou nous faire avancer. Au contraire, si vous
en privez les hommes, vous les transformez
en chiens écumants. Combien de crimes
commis simplement parce que leur auteur ne
pouvait supporter d'être en faute ! J'ai connu
autrefois un industriel qui avait une femme
parfaite, admirée de tous, et qu'il trompait
pourtant. Cet homme enrageait littéralement
de se trouver dans son tort, d'être dans l'im-
possibilité de recevoir, ni de se donner, un
brevet de vertu. Plus sa femme montrait de
perfections, plus il enrageait. A la fin, son
tort lui devint insupportable. Que croyez-
vous qu'il fît alors ? Il cessa de la tromper ?
Non. Il la tua. C'est ainsi que j'entrai en
relations avec lui.

Ma situation était plus enviable. Non seulement je ne risquais pas de rejoindre le

camp des criminels (en particulier, je n'avais aucune chance de tuer ma femme, étant céli-bataire), mais encore je prenais leur défense, à la seule condition qu'ils fussent de bons meurtriers, comme d'autres sont de bons sauvages. La manière même dont je menais cette défense me donnait de grandes satis-factions. J'étais vraiment irréprochable dans ma vie professionnelle. Je n'ai jamais accepté de pot-de-vin, cela va sans dire, mais je ne me suis jamais abaissé non plus à aucune démarche. Chose plus rare, je n'ai jamais consenti à flatter aucun journaliste, pour me le rendre favorable, ni aucun fonctionnaire dont l'amitié pût être utile. J'eus même la chance de me voir offrir deux ou trois fois la Légion d'honneur que je pus refuser avec une dignité discrète où je trouvais ma vraie récompense. Enfin, je n'ai jamais fait payer les pauvres et ne l'ai jamais crié sur les toits. Ne croyez pas, cher monsieur, que je me vante en tout ceci. Mon mérite était nul : l'avidité qui, dans notre société, tient lieu d'ambition, m'a toujours fait rire. Je visais plus haut ; vous verrez que l'expression est exacte en ce qui me concerne.

Mais jugez déjà de ma satisfaction. Je
jouissais de ma propre nature, et nous savons
tous que c'est là le bonheur bien que, pour
nous apaiser mutuellement, nous fassions
mine parfois de condamner ces plaisirs sous
le nom d'égoïsme. Je jouissais, du moins, de
cette partie de ma nature qui réagissait si
exactement à la veuve et à l'orphelin qu'elle
finissait, à force de s'exercer, par régner sur
toute ma vie. Par exemple, j'adorais aider les
aveugles à traverser les rues. Du plus loin
que j'apercevais une canne hésiter sur l'angle
d'un trottoir, je me précipitais, devançais
d'une seconde, parfois, la main charitable
qui se tendait déjà, enlevais l'aveugle à toute
autre sollicitude que la mienne et le menais
d'une main douce et ferme sur le passage
clouté, parmi les obstacles de la circulation,
vers le havre tranquille du trottoir où nous
nous séparions avec une émotion mutuelle.
De la même manière, j'ai toujours aimé renseigner les passants dans la rue, leur donner
du feu, prêter la main aux charrettes trop
lourdes, pousser l'automobile en panne,
acheter le journal de la salutiste, ou les fleurs
de la vieille marchande, dont je savais pour-

tant qu'elle les volait au cimetière Montpar-
nasse. J'aimais aussi, ah, cela est plus difficile à dire, j'aimais faire l'aumône. Un grand
chrétien de mes amis reconnaissait que le
premier sentiment qu'on éprouve à voir un
mendiant approcher de sa maison est
désagréable. Eh bien, moi, c'était pire :
j'exultais. Passons là-dessus.

Parlons plutôt de ma courtoisie. Elle était
célèbre et pourtant indiscutable. La politesse me donnait en effet de grandes joies. Si
j'avais la chance, certains matins, de céder
ma place, dans l'autobus ou le métro, à qui
la méritait visiblement, de ramasser quelque
objet qu'une vieille dame avait laissé tomber
et de le lui rendre avec un sourire que je
connaissais bien, ou simplement de céder
mon taxi à une personne plus pressée que
moi, ma journée en était éclairée. Je me
réjouissais même, il faut bien le dire, de ces
jours où, les transports publics étant en
grève, j'avais l'occasion d'embarquer dans
ma voiture, aux points d'arrêt des autobus,
quelques-uns de mes malheureux concitoyens, empêchés de rentrer chez eux. Quitter enfin mon fauteuil, au théâtre, pour

permettre à un couple d'être réuni, placer en
voyage les valises d'une jeune fille dans le
filet placé trop haut pour elle, étaient autant
d'exploits que j'accomplissais plus souvent
que d'autres parce que j'étais plus attentif
aux occasions de le faire et que j'en retirais
des plaisirs mieux savourés.

Je passais aussi pour généreux et je l'étais.
J'ai beaucoup donné, en public et dans le
privé. Mais loin de souffrir quand il fallait
me séparer d'un objet ou d'une somme
d'argent, j'en tirais de constants plaisirs dont
le moindre n'était pas une sorte de mélancolie qui, parfois, naissait en moi, à la consi-
dération de la stérilité de ces dons et de l'in-
gratitude probable qui les suivrait. J'avais
même un tel plaisir à donner que je détestais
d'y être obligé. L'exactitude dans les choses
de l'argent m'assommait et je m'y prêtais
avec mauvaise humeur. Il me fallait être
maître de mes libéralités.

Ce sont là de petits traits, mais qui vous
feront comprendre les continuelles délecta-
tions que je trouvais dans ma vie, et surtout
dans mon métier. Etre arrêté, par exemple,
dans les couloirs du Palais, par la femme

d'un accusé qu'on a défendu pour la seule
justice ou pitié, je veux dire gratuitement,
entendre cette femme murmurer que rien,
non, rien ne pourra reconnaître ce qu'on a
fait pour eux, répondre alors que c'était bien
naturel, n'importe qui en aurait fait autant,
offrir même une aide pour franchir les mauvais jours à venir, puis, afin de couper court
aux effusions et leur garder ainsi une juste
résonance, baiser la main d'une pauvre
femme et briser là, croyez-moi, cher monsieur, c'est atteindre plus haut que l'ambi-
tieux vulgaire et se hisser à ce point culmi-
nant où la vertu ne se nourrit plus que
d'elle-même.

Arrêtons-nous sur ces cimes. Vous comprenez maintenant ce que je voulais dire en
parlant de viser plus haut. Je parlais justement de ces points culminants, les seuls où
je puisse vivre. Oui, je ne me suis jamais
senti à l'aise que dans les situations élevées.
Jusque dans le détail de la vie, j'avais besoin
d'être au-dessus. Je préférais l'autobus au
métro, les calèches aux taxis, les terrasses aux
entresols. Amateur des avions de sport où
l'on porte la tête en plein ciel, je figurais

aussi, sur les bateaux, l'éternel promeneur des dunettes. En montagne, je fuyais les vallées encaissées pour les cols et les plateaux ; j'étais l'homme des pénéplaines, au moins. Si le destin m'avait obligé de choisir un métier manuel, tourneur ou couvreur, soyez tranquille, j'eusse choisi les toits et fait amitié avec les vertiges. Les soutes, les cales, les souterrains, les grottes, les gouffres me faisaient horreur. J'avais même voué une haine spéciale aux spéléologues, qui avaient le front d'occuper la première page des journaux, et dont les performances m'écœuraient. S'efforcer de parvenir à la cote moins huit cents, au risque de se trouver la tête coincée dans un goulet rocheux (un siphon, comme disent ces inconscients !) me paraissait l'exploit de caractères pervertis ou traumatisés. Il y avait du crime là-dessous.

Un balcon naturel, à cinq ou six cents mètres au-dessus d'une mer encore visible et baignée de lumière, était au contraire l'endroit où je respirais le mieux, surtout si j'étais seul, bien au-dessus des fourmis humaines. Je m'expliquais sans peine que les sermons, les prédications décisives, les mira-

cles de feu se fissent sur des hauteurs acces-
sibles. Selon moi, on ne méditait pas dans les
caves ou les cellules des prisons (à moins
qu'elles fussent situées dans une tour, avec
une vue étendue) ; on y moisissait. Et je
comprenais cet homme qui, étant entré dans
les ordres, défroqua parce que sa cellule, au
lieu d'ouvrir, comme il s'y attendait, sur un
vaste paysage, donnait sur un mur. Soyez sûr
qu'en ce qui me concerne, je ne moisissais
pas. A toute heure du jour, en moi-même
et parmi les autres, je grimpais sur la hauteur, j'y allumais des feux apparents, et une
joyeuse salutation s'élevait vers moi. C'est
ainsi, du moins, que je prenais plaisir à la
vie et à ma propre excellence.

Ma profession satisfaisait heureusement
cette vocation des sommets. Elle m'enlevait
toute amertume à l'égard de mon prochain
que j'obligeais toujours sans jamais rien lui
devoir. Elle me plaçait au-dessus du juge que
je jugeais à son tour, au-dessus de l'accusé
que je forçais à la reconnaissance. Pesez bien
cela, cher monsieur : je vivais impunément.
Je n'étais concerné par aucun jugement, je
ne me trouvais pas sur la scène du tribunal,

mais quelque part, dans les cintres, comme
ces dieux que, de temps en temps, on descend, au moyen d'une machine, pour trans-
figurer l'action et lui donner son sens. Après
tout, vivre au-dessus reste encore la seule
manière d'être vu et salué par le plus grand
nombre.

Quelques-uns de mes bons criminels
avaient d'ailleurs, en tuant, obéi au même
sentiment. La lecture des journaux, dans
la triste situation où ils se trouvaient,
leur apportait sans doute une sorte de
compensation malheureuse. Comme beaucoup d'hommes, ils n'en pouvaient plus de
l'anonymat et cette impatience avait pu, en
partie, les mener à de fâcheuses extrémités.
Pour être connu, il suffit en somme de tuer
sa concierge. Malheureusement, il s'agit
d'une réputation éphémère, tant il y a de
concierges qui méritent et reçoivent le couteau. Le crime tient sans trêve le devant de
la scène, mais le criminel n'y figure que
fugitivement, pour être aussitôt remplacé.
Ces brefs triomphes enfin se payent trop
cher. Défendre nos malheureux aspirants à
la réputation revenait, au contraire, à être

vraiment reconnu, dans le même temps et aux mêmes places, mais par des moyens plus économiques. Cela m'encourageait aussi à déployer de méritoires efforts pour qu'ils payassent le moins possible : ce qu'ils payaient, ils le payaient un peu à ma place. L'indignation, le talent, l'émotion que je dépensais m'enlevaient, en revanche, toute dette à leur égard. Les juges punissaient, les accusés expiaient et moi, libre de tout devoir, soustrait au jugement comme à la sanction, je régnais, librement, dans une lumière édénique.

N'était-ce pas cela, en effet, l'Eden, cher monsieur : la vie en prise directe ? Ce fut la mienne. Je n'ai jamais eu besoin d'apprendre à vivre. Sur ce point, je savais déjà tout en naissant. Il y a des gens dont le problème est de s'abriter des hommes, ou du moins de s'arranger d'eux. Pour moi, l'arrangement était fait. Familier quand il le fallait, silencieux si nécessaire, capable de désinvolture autant que de gravité, j'étais de plain-pied. Aussi ma popularité était-elle grande et je ne comptais plus mes succès dans le monde. Je n'étais pas mal fait de ma personne, je me montrais à la fois danseur infatigable et discret érudit, j'arrivais à aimer en même temps, ce qui n'est guère facile, les femmes et la justice, je pratiquais les sports et les beaux-arts, bref, je m'arrête, pour que vous ne me soupçonniez pas de complaisance. Mais imaginez, je vous prie, un homme dans la force de l'âge, de parfaite santé, généreusement doué, habile dans les exercices du corps comme dans ceux de l'intelligence, ni pauvre ni riche, dormant bien, et profondément content de lui-même sans le montrer autrement que par une sociabilité heureuse. Vous admettrez alors que je puisse parler, en toute modestie, d'une vie réussie.

Oui, peu d'êtres ont été plus naturels que moi. Mon accord avec la vie était total, j'adhérais à ce qu'elle était, du haut en bas, sans rien refuser de ses ironies, de sa grandeur, ni de ses servitudes. En particulier, la chair, la matière, le physique en un mot, qui déconcerte ou décourage tant d'hommes dans l'amour ou dans la solitude, m'apportait, sans m'asservir, des joies égales. J'étais fait pour avoir un corps. De là cette harmo-

nie en moi, cette maîtrise détendue que les
gens sentaient et dont ils m'avouaient parfois qu'elle les aidait à vivre. On recherchait
donc ma compagnie. Souvent, par exemple,
on croyait m'avoir déjà rencontré. La vie,
ses êtres et ses dons venaient au-devant de
moi ; j'acceptais ces hommages avec une
bienveillante fierté. En vérité, à force d'être
homme, avec tant de plénitude et de simplicité, je me trouvais un peu surhomme.

J'étais d'une naissance honnête, mais
obscure (mon père était officier) et pourtant,
certains matins, je l'avoue humblement, je
me sentais fils de roi, ou buisson ardent. Il
s'agissait, notez-le bien, d'autre chose que la
certitude où je vivais d'être plus intelligent
que tout le monde. Cette certitude d'ailleurs
est sans conséquence du fait que tant d'imbéciles la partagent. Non, à force d'être
comblé, je me sentais, j'hésite à l'avouer,
désigné. Désigné personnellement, entre
tous, pour cette longue et constante réussite. C'était là, en somme, un effet de ma
modestie. Je refusais d'attribuer cette réussite à mes seuls mérites, et je ne pouvais
croire que la réunion, en une personne

unique, de qualités si différentes et si
extrêmes, fût le résultat du seul hasard. C'est
pourquoi, vivant heureux, je me sentais,
d'une certaine manière, autorisé à ce bonheur
par quelque décret supérieur. Quand je vous
aurai dit que je n'avais nulle religion, vous
apercevrez encore mieux ce qu'il y avait
d'extraordinaire dans cette conviction. Ordi-
naire ou non, elle m'a soulevé longtemps
au-dessus du train quotidien et j'ai plané,
littéralement, pendant des années dont, à
vrai dire, j'ai encore le regret au cœur. J'ai
plané jusqu'au soir où... Mais non, ceci est
une autre affaire et il faut l'oublier. D'ailleurs, j'exagère peut-être. J'étais à l'aise en
tout, il est vrai, mais en même temps satis-
fait de rien. Chaque joie m'en faisait désirer
une autre. J'allais de fête en fête. Il m'arrivait de danser pendant des nuits, de plus en
plus fou des êtres et de la vie. Parfois, tard
dans ces nuits où la danse, l'alcool léger,
mon déchaînement, le violent abandon de
chacun, me jetaient dans un ravissement à la
fois las et comblé, il me semblait, à l'extrémité de la fatigue, et l'espace d'une seconde,
que je comprenais enfin le secret des êtres et

du monde. Mais la fatigue disparaissait le lendemain et, avec elle, le secret ; je m'élançais de nouveau. Je courais ainsi, toujours comblé, jamais rassasié, sans savoir où m'arrêter, jusqu'au jour, jusqu'au soir plutôt où la musique s'est arrêtée, les lumières se sont éteintes. La fête où j'avais été heureux... Mais permettez-moi de faire appel à notre ami le primate. Hochez la tête pour le remercier et, surtout, buvez avec moi, j'ai besoin de votre sympathie.

Je vois que cette déclaration vous étonne. N'avez-vous jamais eu subitement besoin de sympathie, de secours, d'amitié ? Oui, bien sûr. Moi, j'ai appris à me contenter de la sympathie. On la trouve plus facilement, et puis elle n'engage à rien. « Croyez à ma sympathie », dans le discours intérieur, précède immédiatement « et maintenant, occupons-nous d'autre chose ». C'est un sentiment de président du conseil : on l'obtient à bon marché, après les catastrophes. L'amitié, c'est moins simple. Elle est longue et dure à obtenir, mais quand on l'a, plus moyen de s'en débarrasser, il faut faire face. Ne croyez pas surtout que vos amis vous téléphoneront

tous les soirs, comme ils le devraient, pour
savoir si ce n'est pas justement le soir où
vous décidez de vous suicider, ou plus simplement si vous n'avez pas besoin de compagnie, si vous n'êtes pas en disposition de
sortir. Mais non, s'ils téléphonent, soyez
tranquille, ce sera le soir où vous n'êtes pas
seul, et où la vie est belle. Le suicide, ils vous
y pousseraient plutôt, en vertu de ce que
vous vous devez à vous-même, selon eux. Le
ciel nous préserve, cher monsieur, d'être pla-
cés trop haut par nos amis ! Quant à ceux
dont c'est la fonction de nous aimer, je veux
dire les parents, les alliés (quelle expression !), c'est une autre chanson. Ils ont le
mot qu'il faut, eux, mais c'est plutôt le mot
qui fait balle ; ils téléphonent comme on tire
à la carabine. Et ils visent juste. Ah ! les
Bazaine !

Comment ? Quel soir ? J'y viendrai,
soyez patient avec moi. D'une certaine
manière, d'ailleurs, je suis dans mon sujet,
avec cette histoire d'amis et d'alliés. Voyez-
vous, on m'a parlé d'un homme dont l'ami
avait été emprisonné et qui couchait tous les
soirs sur le sol de sa chambre pour ne pas

jouir d'un confort qu'on avait retiré à celui qu'il aimait. Qui, cher monsieur, qui couchera sur le sol pour nous ? Si j'en suis capable moi-même ? Ecoutez, je voudrais l'être, je le serai. Oui, nous en serons tous capables un jour, et ce sera le salut. Mais ce n'est pas facile, car l'amitié est distraite, ou du moins impuissante. Ce qu'elle veut, elle ne le peut pas. Peut-être, après tout, ne le veut-elle pas assez ? Peut-être n'aimons-nous pas assez la vie ? Avez-vous remarqué que la mort seule réveille nos sentiments ? Comme nous aimons les amis qui viennent de nous quitter, n'est-ce pas ? Comme nous admirons ceux de nos maîtres qui ne parlent plus, la bouche pleine de terre ! L'hommage vient alors tout naturellement, cet hommage que, peut-être, ils avaient attendu de nous toute leur vie. Mais savez-vous pourquoi nous sommes toujours plus justes et plus généreux avec les morts ? La raison est simple ! Avec eux, il n'y a pas d'obligation. Ils nous laissent libres, nous pouvons prendre notre temps, caser l'hommage entre le cocktail et une gentille maîtresse, à temps perdu, en somme. S'ils nous obligeaient à

quelque chose, ce serait à la mémoire, et
nous avons la mémoire courte. Non, c'est
le mort frais que nous aimons chez nos amis,
le mort douloureux, notre émotion, nous-
mêmes enfin !

J'avais ainsi un ami que j'évitais le plus
souvent. Il m'ennuyait un peu, et puis il
avait de la morale. Mais à l'agonie, il m'a
retrouvé, soyez tranquille. Je n'ai pas raté
une journée. Il est mort, content de moi, en
me serrant les mains. Une femme qui me
relançait trop souvent, et en vain, eut le bon
goût de mourir jeune. Quelle place aussitôt
dans mon cœur ! Et quand, de surcroît, il
s'agit d'un suicide ! Seigneur, quel délicieux
branle-bas ! Le téléphone fonctionne, le
cœur déborde, et les phrases volontairement
brèves, mais lourdes de sous-entendus, la
peine maîtrisée, et même, oui, un peu
d'auto-accusation !

L'homme est ainsi, cher monsieur, il a
deux faces : il ne peut pas aimer sans s'aimer. Observez vos voisins, si, par chance, il
survient un décès dans l'immeuble. Ils
dormaient dans leur petite vie et voilà, par
exemple, que le concierge meurt. Aussitôt, ils

s'éveillent, frétillent, s'informent, s'apitoient.
Un mort sous presse, et le spectacle commence enfin. Ils ont besoin de la tragédie,
que voulez-vous, c'est leur petite transcen-
dance, c'est leur apéritif. D'ailleurs, est-ce
un hasard si je vous parle de concierge ?
J'en avais un, vraiment disgracié, la méchanceté même, un monstre d'insignifiance et de
rancune, qui aurait découragé un francis-
cain. Je ne lui parlais même plus, mais, par
sa seule existence, il compromettait mon
contentement habituel. Il est mort, et je suis
allé à son enterrement. Voulez-vous me dire
pourquoi ?

Les deux jours qui précédèrent la céré-
monie furent d'ailleurs pleins d'intérêt. La
femme du concierge était malade, couchée
dans la pièce unique, et, près d'elle, on avait
étendu la caisse sur des chevalets. Il fallait
prendre son courrier soi-même. On ouvrait,
on disait : « Bonjour, madame », on écou-
tait l'éloge du disparu que la concierge dési-
gnait de la main, et on emportait son
courrier. Rien de réjouissant là-dedans, n'est-
ce pas ? Toute la maison, pourtant, a défilé
dans la loge qui puait le phénol. Et les loca-

taires n'envoyaient pas leurs domestiques,
non, ils venaient profiter eux-mêmes de l'au-
baine. Les domestiques aussi, d'ailleurs, mais
en catimini. Le jour de l'enterrement, la caisse
était trop grande pour la porte de la loge.
« O mon chéri, disait dans son lit la concierge,
avec une surprise à la fois ravie et navrée,
comme il était grand ! » « Pas d'inquiétude, madame, répondait l'ordonnateur,
on le passera de champ, et debout. » On l'a
passé debout, et puis on l'a couché, et j'ai
été le seul (avec un ancien chasseur de caba-
ret, dont j'ai compris qu'il buvait son pernod
tous les soirs avec le défunt) à aller jusqu'au
cimetière et à jeter des fleurs sur un cercueil
dont le luxe m'étonna. Ensuite, j'ai fait une
visite à la concierge, pour recevoir ses remer-
ciements de tragédienne. Quelle raison à tout
cela, dites-moi ? Aucune, sinon l'apéritif.

J'ai enterré aussi un vieux collaborateur
de l'Ordre des avocats. Un commis, assez
dédaigné, à qui je serrais toujours la main.
Là où je travaillais, je serrais toutes les mains
d'ailleurs, et plutôt deux fois qu'une. Cette
cordiale simplicité me valait, à peu de frais,
la sympathie de tous, nécessaire à mon épa-

nouissement. Pour l'enterrement de notre commis, le bâtonnier ne s'était pas dérangé. Moi, oui, et à la veille d'un voyage, ce qui fut souligné. Justement, je savais que ma présence serait remarquée, et favorablement commentée. Alors, vous comprenez, même la neige qui tombait ce jour-là ne m'a pas fait reculer.

Comment ? J'y viens, ne craignez rien, j'y suis encore, du reste. Mais laissez-moi auparavant vous faire remarquer que ma concierge, qui s'était ruinée en crucifix, en beau chêne, et en poignées d'argent, pour mieux jouir de son émotion, s'est collée, un mois plus tard, avec un faraud à belle voix. Il la cognait, on entendait des cris affreux, et tout de suite après, il ouvrait la fenêtre et poussait sa romance préférée : « Femmes, que vous êtes jolies ! » « Tout de même ! » disaient les voisins. Tout de même quoi, je vous le demande ? Bon, ce baryton avait les apparences contre lui, et la concierge aussi. Mais rien ne prouve qu'ils ne s'aimaient pas. Rien ne prouve, non plus, qu'elle n'aimait pas son mari. Du reste, quand le faraud s'envola, la voix et le bras fatigués, elle reprit l'éloge du disparu, cette fidèle ! Après tout, j'en sais d'autres qui ont les apparences pour eux, et qui n'en sont pas plus constants ni sincères. J'ai connu un homme qui a donné vingt ans de sa vie à une étourdie, qui lui a tout sacrifié, ses amitiés, son travail, la décence même de sa vie, et qui reconnut un soir qu'il ne l'avait jamais aimée. Il s'ennuyait, voilà tout, il s'ennuyait, comme la plupart des gens. Il s'était donc créé de toutes pièces une vie de complications et de drames. Il faut que quelque chose arrive, voilà l'explication de la plupart des engagements humains. Il faut que quelque chose arrive, même la servitude sans amour, même la guerre, ou la mort. Vivent donc les enterrements !

Moi, du moins, je n'avais pas cette excuse. Je ne m'ennuyais pas puisque je régnais. Le soir dont je vous parle, je peux même dire que je m'ennuyais moins que jamais. Non, vraiment, je ne désirais pas que quelque chose arrivât. Et pourtant... Voyez-vous, cher monsieur, c'était un beau soir d'automne, encore tiède sur la ville, déjà humide sur la Seine. La nuit venait, le ciel était

encore clair à l'ouest, mais s'assombrissait,
les lampadaires brillaient faiblement. Je
remontais les quais de la rive gauche vers
le pont des Arts. On voyait luire le fleuve,
entre les boîtes fermées des bouquinistes. Il
y avait peu de monde sur les quais : Paris
mangeait déjà. Je foulais les feuilles jaunes
et poussiéreuses qui rappelaient encore l'été.
Le ciel se remplissait peu à peu d'étoiles
qu'on apercevait fugitivement en s'éloignant
d'un lampadaire vers un autre. Je goûtais
le silence revenu, la douceur du soir, Paris
vide. J'étais content. La journée avait été
bonne : un aveugle, la réduction de peine
que j'espérais, la chaude poignée de main
de mon client, quelques générosités et, dans
l'après-midi, une brillante improvisation,
devant quelques amis, sur la dureté de cœur
de notre classe dirigeante et l'hypocrisie de
nos élites.

J'étais monté sur le pont des Arts, désert
à cette heure, pour regarder le fleuve qu'on
devinait à peine dans la nuit maintenant
venue. Face au Vert-Galant, je dominais
l'île. Je sentais monter en moi un vaste sentiment de puissance et, comment dirais-je,

d'achèvement, qui dilatait mon cœur. Je me redressai et j'allais allumer une cigarette, la cigarette de la satisfaction, quand, au même moment, un rire éclata derrière moi. Surpris, je fis une brusque volte-face : il n'y avait personne. J'allai jusqu'au garde-fou : aucune péniche, aucune barque. Je me retournai vers l'île et, de nouveau, j'entendis le rire dans mon dos, un peu plus lointain, comme s'il descendait le fleuve. Je restais là, immobile. Le rire décroissait, mais je l'entendais encore distinctement derrière moi, venu de nulle part, sinon des eaux. En même temps, je percevais les battements précipités de mon cœur. Entendez-moi bien, ce rire n'avait rien de mystérieux ; c'était un bon rire, naturel, presque amical, qui remettait les choses en place. Bientôt d'ailleurs, je n'entendis plus rien. Je regagnai les quais, pris la rue Dauphine, achetai des cigarettes dont je n'avais nul besoin. J'étais étourdi, je respirais mal. Ce soir-là, j'appelai un ami qui n'était pas chez lui. J'hésitais à sortir, quand, soudain, j'entendis rire sous mes fenêtres. J'ouvris. Sur le trottoir, en effet, des jeunes gens se séparaient joyeusement. Je refermai les fenêtres en haussant les épaules ; après tout, j'avais un dossier à étudier. Je me rendis dans la salle de bains pour boire un verre d'eau. Mon image souriait dans la glace, mais il me sembla que mon sourire était double...

Comment ? Pardonnez-moi, je pensais à autre chose. Je vous reverrai demain, sans doute. Demain, oui, c'est cela. Non, non, je ne puis rester. D'ailleurs, je suis appelé en consultation par l'ours brun que vous voyez là-bas. Un honnête homme, à coup sûr, que la police brime vilainement, et par pure perversité. Vous estimez qu'il a une tête de tueur ? Soyez sûr que c'est la tête de l'emploi. Il cambriole, aussi bien, et vous serez surpris d'apprendre que cet homme des cavernes est spécialisé dans le trafic des tableaux. En Hollande, tout le monde est spécialiste en peintures et en tulipes. Celui-ci, avec ses airs modestes, est l'auteur du plus célèbre des vols de tableaux. Lequel ? Je vous le dirai peut-être. Ne vous étonnez pas de ma science. Bien que je sois juge-pénitent, j'ai ici un violon d'Ingres : je suis le conseiller juridique de ces braves gens. J'ai étudié les lois du pays et je me suis fait une clientèle dans ce quartier où l'on n'exige pas vos diplômes. Ce n'était pas facile, mais j'inspire confiance, n'est-ce pas ? J'ai un beau rire franc, ma poignée de main est énergique, ce sont là des atouts. Et puis j'ai réglé quelques cas difficiles, par intérêt d'abord, par conviction ensuite. Si les souteneurs et les voleurs étaient toujours et partout condamnés, les honnêtes gens se croiraient tous et sans cesse innocents, cher monsieur. Et selon moi — voilà, voilà, je viens ! — c'est surtout cela qu'il faut éviter. Il y aurait de quoi rire, autrement.

Vraiment, mon cher compatriote, je vous
suis reconnaissant de votre curiosité. Pourtant, mon histoire n'a rien d'extraordinaire.
Sachez, puisque vous y tenez, que j'ai pensé
un peu à ce rire, pendant quelques jours,
puis je l'ai oublié. De loin en loin, il me
semblait l'entendre, quelque part en moi.
Mais, la plupart du temps, je pensais, sans
effort, à autre chose.

Je dois reconnaître cependant que je ne
mis plus les pieds sur les quais de Paris.
Lorsque j'y passais, en voiture ou en autobus, il se faisait une sorte de silence en moi.
J'attendais, je crois. Mais je franchissais la

Seine, rien ne se produisait, je respirais. J'eus
aussi, à ce moment, quelques misères de
santé. Rien de précis, de l'abattement si vous
voulez, une sorte de difficulté à retrouver ma
bonne humeur. Je vis des médecins qui me
donnèrent des remontants. Je remontais, et
puis redescendais. La vie me devenait moins
facile : quand le corps est triste, le cœur lan-
guit. Il me semblait que je désapprenais en
partie ce que je n'avais jamais appris et que
je savais pourtant si bien, je veux dire vivre.
Oui, je crois bien que c'est alors que tout
commença.

Mais ce soir, non plus, je ne me sens pas
en forme. J'ai même du mal à tourner mes
phrases. Je parle moins bien, il me semble,
et mon discours est moins sûr. Le temps,
sans doute. On respire mal, l'air est si lourd
qu'il pèse sur la poitrine. Verriez-vous un
inconvénient, mon cher compatriote, à ce
que nous sortions pour marcher un peu dans
la ville ? Merci.

Comme les canaux sont beaux, le soir !
J'aime le souffle des eaux moisies, l'odeur
des feuilles mortes qui macèrent dans le
canal et celle, funèbre, qui monte des péni-

ches pleines de fleurs. Non, non, ce goût n'a rien de morbide, croyez-moi. Au contraire, c'est, chez moi, un parti pris. La vérité est que je me force à admirer ces canaux. Ce que j'aime le plus au monde, c'est la Sicile, vous voyez bien, et encore du haut de l'Etna, dans la lumière, à condition de dominer l'île et la mer. Java, aussi, mais à l'époque des alizés. Oui, j'y suis allé dans ma jeunesse. D'une manière générale, j'aime toutes les îles. Il est plus facile d'y régner.

Délicieuse maison, n'est-ce pas ? Les deux têtes que vous voyez là sont celles d'esclaves nègres. Une enseigne. La maison appartenait à un vendeur d'esclaves. Ah ! on ne cachait pas son jeu, en ce temps-là ! On avait du coffre, on disait : « Voilà, j'ai pignon sur rue, je trafique des esclaves, je vends de la chair noire ». Vous imaginez quelqu'un, aujourd'hui, faisant connaître publiquement que tel est son métier ? Quel scandale ! J'entends d'ici mes confrères parisiens. C'est qu'ils sont irréductibles sur la question, ils n'hésiteraient pas à lancer deux ou trois manifestes, peut-être même plus ! Réflexion faite, j'ajouterais ma signature à la leur. L'esclavage, ah, mais non, nous sommes contre ! Qu'on soit contraint de l'installer chez soi, ou dans les usines, bon, c'est dans l'ordre des choses, mais s'en vanter, c'est le comble.

Je sais bien qu'on ne peut se passer de dominer ou d'être servi. Chaque homme a besoin d'esclaves comme d'air pur. Commander, c'est respirer, vous êtes bien de cet avis ? Et même les plus déshérités arrivent à respirer. Le dernier dans l'échelle sociale a encore son conjoint, ou son enfant. S'il est célibataire, un chien. L'essentiel, en somme, est de pouvoir se fâcher sans que l'autre ait le droit de répondre. « On ne répond pas à son père », vous connaissez la formule ? Dans un sens, elle est singulière. A qui répondrait-on en ce monde sinon à ce qu'on aime ? Dans un autre sens, elle est convaincante. Il faut bien que quelqu'un ait le dernier mot. Sinon, à toute raison peut s'opposer une autre : on n'en finirait plus. La puissance, au contraire, tranche tout. Nous y avons mis le temps, mais nous avons compris cela. Par exemple, vous avez dû le remarquer, notre vieille Europe philosophe enfin de la bonne façon. Nous ne disons plus, comme aux temps naïfs : « Je pense ainsi. Quelles sont vos objections ? » Nous sommes devenus lucides. Nous avons remplacé le dialogue par le communiqué. « Telle est la vérité, disons-nous. Vous pouvez toujours la discuter, ça ne nous intéresse pas. Mais dans quelques années, il y aura la police, qui vous montrera que j'ai raison. »

Ah ! chère planète ! Tout y est clair maintenant. Nous nous connaissons, nous savons ce dont nous sommes capables. Tenez, moi, pour changer d'exemple, sinon de sujet, j'ai toujours voulu être servi avec le sourire. Si la bonne avait l'air triste, elle empoisonnait mes journées. Elle avait bien le droit de ne pas être gaie, sans doute. Mais je me disais qu'il valait mieux pour elle qu'elle fît son service en riant plutôt qu'en pleurant. En fait, cela valait mieux pour moi. Pourtant, sans être glorieux, mon raisonnement n'était pas tout à fait idiot. De la même manière, je refusais toujours de manger dans les restaurants chinois. Pourquoi ? Parce que les Asiatiques, lorsqu'ils se taisent, et devant les blancs, ont souvent l'air méprisant. Naturel-

lement, ils le gardent, cet air, en servant !
Comment jouir alors du poulet laqué,
comment surtout, en les regardant, penser
qu'on a raison ?

Tout à fait entre nous, la servitude, sou-
riante de préférence, est donc inévitable.
Mais nous ne devons pas le reconnaître. Celui
qui ne peut s'empêcher d'avoir des esclaves, ne vaut-il pas mieux qu'il les appelle
hommes libres ? Pour le principe d'abord, et
puis pour ne pas les désespérer. On leur doit
bien cette compensation, n'est-ce pas ? De
cette manière, ils continueront de sourire et
nous garderons notre bonne conscience.
Sans quoi, nous serions forcés de revenir sur
nous-mêmes, nous deviendrions fous de
douleur, ou même modestes, tout est à
craindre. Aussi, pas d'enseignes, et celle-ci
est scandaleuse. D'ailleurs, si tout le monde
se mettait à table, hein, affichait son vrai
métier, son identité, on ne saurait plus où
donner de la tête ! Imaginez des cartes de
visite : Dupont, philosophe froussard, ou
propriétaire chrétien, ou humaniste adultère, on a le choix, vraiment. Mais ce serait
l'enfer ! Oui, l'enfer doit être ainsi : des

rues à enseignes et pas moyen de s'expliquer. On est classé une fois pour toutes.

Vous, par exemple, mon cher compatriote, pensez un peu à ce que serait votre enseigne. Vous vous taisez ? Allons, vous me répondrez plus tard. Je connais la mienne en tout cas : une face double, un charmant Janus, et, au-dessus, la devise de la maison : « Ne vous y fiez pas. » Sur mes cartes : « Jean-Baptiste Clamence, comédien. » Tenez, peu de temps après le soir dont je vous ai parlé, j'ai découvert quelque chose. Quand je quittais un aveugle sur le trottoir où je l'avais aidé à atterrir, je le saluais. Ce coup de chapeau ne lui était évidemment pas destiné, il ne pouvait pas le voir. A qui donc s'adressait-il ? Au public. Après le rôle, les saluts. Pas mal, hein ? Un autre jour, à la même époque, à un automobiliste qui me remerciait de l'avoir aidé, je répondis que personne n'en aurait fait autant. Je voulais dire, bien sûr, n'importe qui. Mais ce malheureux lapsus me resta sur le cœur. Pour la modestie, vraiment, j'étais imbattable.

Il faut le reconnaître humblement, mon cher compatriote, j'ai toujours crevé de vanité. Moi, moi, moi, voilà le refrain de ma chère vie, et qui s'entendait dans tout ce que je disais. Je n'ai jamais pu parler qu'en me vantant, surtout si je le faisais avec cette fracassante discrétion dont j'avais le secret. Il est bien vrai que j'ai toujours vécu libre et puissant. Simplement, je me sentais libéré à l'égard de tous pour l'excellente raison que je ne me reconnaissais pas d'égal. Je me suis toujours estimé plus intelligent que tout le monde, je vous l'ai dit, mais aussi plus sensible et plus adroit, tireur d'élite, conducteur incomparable, meilleur amant. Même dans les domaines où il m'était facile de vérifier mon infériorité, comme le tennis par exemple, où je n'étais qu'un honnête partenaire, il m'était difficile de ne pas croire que, si j'avais le temps de m'entraîner, je surclasserais les premières séries. Je ne me reconnaissais que des supériorités, ce qui expliquait ma bienveillance et ma sérénité. Quand je m'occupais d'autrui, c'était pure condescendance, en toute liberté, et le mérite entier m'en revenait : je montais d'un degré dans l'amour que je me portais.

Avec quelques autres vérités, j'ai découvert ces évidences peu à peu, dans la période qui suivit le soir dont je vous ai parlé. Pas tout de suite, non, ni très distinctement. Il a fallu d'abord que je retrouve la mémoire. Par degrés, j'ai vu plus clair, j'ai appris un peu de ce que je savais. Jusque-là, j'avais toujours été aidé par un étonnant pouvoir d'oubli. J'oubliais tout, et d'abord mes résolutions. Au fond, rien ne comptait. Guerre, suicide, amour, misère, j'y prêtais attention, bien sûr, quand les circonstances m'y forçaient, mais d'une manière courtoise et superficielle. Parfois, je faisais mine de me passionner pour une cause étrangère à ma vie la plus quotidienne. Dans le fond pourtant, je n'y participais pas, sauf, bien sûr, quand ma liberté était contrariée. Comment vous dire ? Ça glissait. Oui, tout glissait sur moi.

Soyons justes : il arrivait que mes oublis fussent méritoires. Vous avez remarqué qu'il y a des gens dont la religion consiste à pardonner toutes les offenses et qui les pardonnent en effet, mais ne les oublient jamais. Je n'étais pas d'assez bonne étoffe pour pardonner aux offenses, mais je finissais toujours par les oublier. Et tel qui se croyait détesté de moi n'en revenait pas de se voir salué avec un grand sourire. Selon sa nature, il admirait alors ma grandeur d'âme ou méprisait ma pleutrerie sans penser que ma raison était plus simple : j'avais oublié jusqu'à son nom. La même infirmité qui me rendait indifférent ou ingrat me faisait alors magnanime.

Je vivais donc sans autre continuité que celle, au jour le jour, du moi-moi-moi. Au jour le jour les femmes, au jour le jour la vertu ou le vice, au jour le jour, comme les chiens, mais tous les jours, moi-même, solide au poste. J'avançais ainsi à la surface de la vie, dans les mots en quelque sorte, jamais dans la réalité. Tous ces livres à peine lus, ces amis à peine aimés, ces villes à peine visitées, ces femmes à peine prises ! Je faisais des gestes par ennui, ou par distraction. Les êtres suivaient, ils voulaient s'accrocher, mais il n'y avait rien, et c'était le malheur. Pour eux. Car, pour moi, j'oubliais. Je ne me suis jamais souvenu que de moi-même.

Peu à peu, la mémoire m'est cependant

revenue. Ou plutôt je suis revenu à elle, et
j'y ai trouvé le souvenir qui m'attendait.
Avant de vous en parler, permettez-moi,
mon cher compatriote, de vous donner quelques exemples (qui vous serviront, j'en suis
sûr) de ce que j'ai découvert au cours de
mon exploration.

Un jour où, conduisant ma voiture, je tar-
dais une seconde à démarrer au feu vert,
pendant que nos patients concitoyens déchaî-
naient sans délai leurs avertisseurs dans mon
dos, je me suis souvenu soudain d'une autre
aventure, survenue dans les mêmes circonstances. Une motocyclette conduite par un
petit homme sec, portant lorgnon et panta-
lon de golf, m'avait doublé et s'était instal-
lée devant moi, au feu rouge. En stoppant,
le petit homme avait calé son moteur et
s'évertuait en vain à lui redonner souffle.
Au feu vert, je lui demandai, avec mon
habituelle politesse, de ranger sa motocyclette pour que je puisse passer. Le petit
homme s'énervait encore sur son moteur
poussif. Il me répondit donc, selon les règles
de la courtoisie parisienne, d'aller me rha-
biller. J'insistai, toujours poli, mais avec une

légère nuance d'impatience dans la voix. On
me fit savoir aussitôt que, de toute manière,
on m'emmenait à pied et à cheval. Pendant
ce temps, quelques avertisseurs commen-
çaient, derrière moi, de se faire entendre.
Avec plus de fermeté, je priai mon interlocuteur d'être poli et de considérer qu'il
entravait la circulation. L'irascible person-
nage, exaspéré sans doute par la mauvaise
volonté, devenue évidente, de son moteur,
m'informa que si je désirais ce qu'il appelait
une dérouillée, il me l'offrirait de grand
cœur. Tant de cynisme me remplit d'une
bonne fureur et je sortis de ma voiture dans
l'intention de frotter les oreilles de ce mal
embouché. Je ne pense pas être lâche (mais
que ne pense-t-on pas !), je dépassais d'une
tête mon adversaire, mes muscles m'ont toujours bien servi. Je crois encore maintenant
que la dérouillée aurait été reçue plutôt
qu'offerte. Mais j'étais à peine sur la chaus-
sée que, de la foule qui commençait à s'as-
sembler, un homme sortit, se précipita sur
moi, vint m'assurer que j'étais le dernier des
derniers et qu'il ne me permettrait pas de
frapper un homme qui avait une moto-

cyclette entre les jambes et s'en trouvait,
par conséquent, désavantagé. Je fis face à
ce mousquetaire et, en vérité, ne le vis
même pas. A peine, en effet, avais-je la
tête tournée que, presque en même temps,
j'entendis la motocyclette pétarader de
nouveau et je reçus un coup violent sur
l'oreille. Avant que j'aie eu le temps d'enre-
gistrer ce qui s'était passé, la motocyclette
s'éloigna. Etourdi, je marchai machinale-
ment vers d'Artagnan quand, au même
moment, un concert exaspéré d'avertisseurs
s'éleva de la file, devenue considérable, des
véhicules. Le feu vert revenait. Alors, encore
un peu égaré, au lieu de secouer l'imbécile
qui m'avait interpellé, je retournai docile-
ment vers ma voiture et je démarrai, pendant qu'à mon passage l'imbécile me saluait
d'un « pauvre type » dont je me souviens
encore.

Histoire sans importance, direz-vous ?
Sans doute. Simplement, je mis longtemps à
l'oublier, voilà l'important. J'avais pourtant
des excuses. Je m'étais laissé battre sans
répondre, mais on ne pouvait pas m'accuser
de lâcheté. Surpris, interpellé des deux côtés,

j'avais tout brouillé et les avertisseurs avaient achevé ma confusion. Pourtant, j'en étais malheureux comme si j'avais manqué à l'honneur. Je me revoyais, montant dans ma voiture, sans une réaction, sous les regards ironiques d'une foule d'autant plus ravie que je portais, je m'en souviens, un costume bleu très élégant. J'entendais le « pauvre type ! » qui, tout de même, me paraissait justifié. Je m'étais en somme dégonflé publiquement. Par suite d'un concours de circonstances, il est vrai, mais il y a toujours des circonstances. Après coup, j'apercevais clairement ce que j'eusse dû faire. Je me voyais descendre d'Artagnan d'un bon crochet, remonter dans ma voiture, poursuivre le sagouin qui m'avait frappé, le rattraper, coincer sa machine contre un trottoir, le tirer à l'écart et lui distribuer la raclée qu'il avait largement méritée. Avec quelques variantes, je tournai cent fois ce petit film dans mon imagination. Mais il était trop tard, et je dévorai pendant quelques jours un vilain ressentiment.

Tiens, la pluie tombe de nouveau. Arrêtons-nous, voulez-vous, sous ce porche. Bon.

Où en étais-je ? Ah ! oui, l'honneur ! Eh bien, quand je retrouvai le souvenir de cette aventure, je compris ce qu'elle signifiait. En somme, mon rêve n'avait pas résisté à l'épreuve des faits. J'avais rêvé, cela était clair maintenant, d'être un homme complet, qui se serait fait respecter dans sa personne comme dans son métier. Moitié Cerdan, moitié de Gaulle, si vous voulez. Bref, je voulais dominer en toutes choses. C'est pour-quoi je prenais des airs, je mettais mes coquetteries à montrer mon habileté phy-sique plutôt que mes dons intellectuels. Mais, après avoir été frappé en public sans réagir, il ne m'était plus possible de caresser cette belle image de moi-même. Si j'avais été l'ami de la vérité et de l'intelligence que je prétendais être, que m'eût fait cette aventure déjà oubliée de ceux qui en avaient été les spectateurs ? A peine me serais-je accusé de m'être fâché pour rien, et aussi, étant fâché, de n'avoir pas su faire face aux conséquences de ma colère, faute de présence d'esprit. Au lieu de cela, je brûlais de prendre ma revanche, de frapper et de vaincre. Comme si mon véritable désir n'était pas d'être la

5

créature la plus intelligente ou la plus généreuse de la terre, mais seulement de battre
qui je voudrais, d'être le plus fort enfin, et
de la façon la plus élémentaire. La vérité est
que tout homme intelligent, vous le savez
bien, rêve d'être un gangster et de régner sur
la société par la seule violence. Comme ce
n'est pas aussi facile que peut le faire croire
la lecture des romans spécialisés, on s'en
remet généralement à la politique et l'on
court au parti le plus cruel. Qu'importe,
n'est-ce pas, d'humilier son esprit si l'on
arrive par là à dominer tout le monde ? Je
découvrais en moi de doux rêves d'oppression.

J'apprenais du moins que je n'étais du
côté des coupables, des accusés, que dans la
mesure exacte où leur faute ne me causait
aucun dommage. Leur culpabilité me rendait éloquent parce que je n'en étais pas la
victime. Quand j'étais menacé, je ne devenais pas seulement un juge à mon tour, mais
plus encore : un maître irascible qui voulait, hors de toute loi, assommer le délin-
quant et le mettre à genoux. Après cela,
mon cher compatriote, il est bien difficile de

continuer sérieusement à se croire une vocation de justice et le défenseur prédestiné de
la veuve et de l'orphelin.

Puisque la pluie redouble et que nous
avons le temps, oserais-je vous confier une
nouvelle découverte que je fis, peu après,
dans ma mémoire ? Asseyons-nous à l'abri,
sur ce banc. Il y a des siècles que des fumeurs
de pipe y contemplent la même pluie tom-
bant sur le même canal. Ce que j'ai à vous
raconter est un peu plus difficile. Il s'agit,
cette fois, d'une femme. Il faut d'abord
savoir que j'ai toujours réussi, et sans grand
effort, avec les femmes. Je ne dis pas réussir
à les rendre heureuses, ni même à me rendre
heureux par elles. Non, réussir, tout simplement. J'arrivais à mes fins, à peu près
quand je voulais. On me trouvait du charme,
imaginez cela ! Vous savez ce qu'est le
charme : une manière de s'entendre répondre oui sans avoir posé aucune question
claire. Ainsi de moi, à l'époque. Cela vous
surprend ? Allons, ne le niez pas. Avec la
tête qui m'est venue, c'est bien naturel.
Hélas ! après un certain âge, tout homme est
responsable de son visage. Le mien... Mais

qu'importe ! Le fait est là, on me trouvait du charme et j'en profitais.

Je n'y mettais cependant aucun calcul ; j'étais de bonne foi, ou presque. Mon rapport avec les femmes était naturel, aisé, facile comme on dit. Il n'y entrait pas de ruse ou seulement celle, ostensible, qu'elles considèrent comme un hommage. Je les aimais, selon l'expression consacrée, ce qui revient à dire que je n'en ai jamais aimé aucune. J'ai toujours trouvé la misogynie vulgaire et sotte, et presque toutes les femmes que j'ai connues, je les ai jugées meilleures que moi. Cependant, les plaçant si haut, je les ai utilisées plus souvent que servies. Comment s'y retrouver ?

Bien entendu, le véritable amour est exceptionnel, deux ou trois par siècle à peu près. Le reste du temps, il y a la vanité ou l'ennui. Pour moi, en tout cas, je n'étais pas la Religieuse portugaise. Je n'ai pas le cœur sec, il s'en faut, plein d'attendrissement au contraire, et la larme facile avec ça. Seulement, mes élans se tournent toujours vers moi, mes attendrissements me concernent. Il est faux, après tout, que je n'aie jamais aimé.

J'ai contracté dans ma vie au moins un grand amour, dont j'ai toujours été l'objet. De ce point de vue, après les inévitables difficultés du très jeune âge, j'avais été vite fixé : la sensualité, et elle seule, régnait dans ma vie amoureuse. Je cherchais seulement des objets de plaisir et de conquête. J'y étais aidé d'ailleurs par ma complexion : la nature a été généreuse avec moi. Je n'en étais pas peu fier et j'en tirais beaucoup de satisfactions dont je ne saurais plus dire si elles étaient de plaisir ou de prestige. Bon, vous allez dire que je me vante encore. Je ne le nierai pas et j'en suis d'autant moins fier qu'en ceci je me vante de ce qui est vrai.

Dans tous les cas, ma sensualité, pour ne parler que d'elle, était si réelle que, même pour une aventure de dix minutes, j'aurais renié père et mère, quitte à le regretter amèrement. Que dis-je ! Surtout pour une aventure de dix minutes et plus encore si j'avais la certitude qu'elle serait sans lendemain. J'avais des principes, bien sûr, et, par exemple, que la femme des amis était sacrée. Simplement, je cessais, en toute sincérité,

quelques jours auparavant, d'avoir de l'amitié pour les maris. Peut-être ne devrais-je
pas appeler ceci de la sensualité ? La sensualité n'est pas répugnante, elle. Soyons indul-
gents et parlons d'infirmité, d'une sorte d'in-
capacité congénitale à voir dans l'amour
autre chose que ce qu'on y fait. Cette infirmité, après tout, était confortable. Conju-
guée à ma faculté d'oubli, elle favorisait ma
liberté. Du même coup, par un certain air
d'éloignement et d'indépendance irréduc-
tible qu'elle me donnait, elle me fournissait
l'occasion de nouveaux succès. A force de
n'être pas romantique, je donnais un solide
aliment au romanesque. Nos amies, en effet,
ont ceci de commun avec Bonaparte qu'elles
pensent toujours réussir là où tout le monde
a échoué.

Dans ce commerce, du reste, je satisfaisais encore autre chose que ma sensualité :
mon amour du jeu. J'aimais dans les femmes
les partenaires d'un certain jeu, qui avait le
goût, au moins, de l'innocence. Voyez-vous,
je ne peux supporter de m'ennuyer et je
n'apprécie, dans la vie, que les récréations.
Toute société, même brillante, m'accable

rapidement tandis que je ne me suis jamais
ennuyé avec les femmes qui me plaisaient.
J'ai de la peine à l'avouer, j'aurais donné dix
entretiens avec Einstein pour un premier
rendez-vous avec une jolie figurante. Il est
vrai qu'au dixième rendez-vous, je soupi-
rais après Einstein, ou de fortes lectures. En
somme, je ne me suis jamais soucié des
grands problèmes que dans les intervalles de
mes petits débordements. Et combien de
fois, planté sur le trottoir, au cœur d'une
discussion passionnée avec des amis, j'ai
perdu le fil du raisonnement qu'on m'expo-
sait parce qu'une ravageuse, au même
moment, traversait la rue.

Donc, je jouais le jeu. Je savais qu'elles
aimaient qu'on n'allât pas trop vite au but.
Il fallait d'abord de la conversation, de la
tendresse, comme elles disent. Je n'étais pas
en peine de discours, étant avocat, ni de
regards, ayant été, au régiment, apprenti
comédien. Je changeais souvent de rôle ;
mais il s'agissait toujours de la même pièce.
Par exemple, le numéro de l'attirance incom-
préhensible, du « je ne sais quoi », du « il
n'y a pas de raisons, je ne souhaitais pas

d'être attiré, j'étais pourtant lassé de l'amour, etc. » était toujours efficace, bien qu'il soit un des plus vieux du répertoire. Il y avait aussi celui du bonheur mystérieux qu'aucune autre femme ne vous a jamais donné, qui est peut-être sans avenir, sûrement même (car on ne saurait trop se garantir), mais qui, justement, est irremplaçable. Surtout, j'avais perfectionné une petite tirade, toujours bien reçue, et que vous applaudirez, j'en suis sûr. L'essentiel de cette tirade tenait dans l'affirmation, douloureuse et résignée, que je n'étais rien, ce n'était pas la peine qu'on s'attachât à moi, ma vie était ailleurs, elle ne passait pas par le bonheur de tous les jours, bonheur que, peut-être, j'eusse préféré à toutes choses, mais voilà, il était trop tard. Sur les raisons de ce retard décisif, je gardais le secret, sachant qu'il est meilleur de coucher avec le mystère. Dans un sens, d'ailleurs, je croyais à ce que je disais, je vivais mon rôle. Il n'est pas étonnant alors que mes partenaires, elles aussi, se missent à brûler les planches. Les plus sensibles de mes amies s'efforçaient de me comprendre et cet effort les menait à de

mélancoliques abandons. Les autres, satis-
faites de voir que je respectais la règle du
jeu et que j'avais la délicatesse de parler
avant d'agir, passaient sans attendre aux
réalités. J'avais alors gagné, et deux fois,
puisque, outre le désir que j'avais d'elles,
je satisfaisais l'amour que je me portais,
en vérifiant chaque fois mes beaux pou-
voirs.

Cela est si vrai que même s'il arrivait que
certaines ne me fournissent qu'un plaisir
médiocre, je tâchais cependant de renouer
avec elles, de loin en loin, aidé sans doute
par ce désir singulier que favorise l'absence,
suivie d'une complicité soudain retrouvée,
mais aussi pour vérifier que nos liens tenaient
toujours et qu'il n'appartenait qu'à moi de
les resserrer. Parfois, j'allais même jusqu'à
leur faire jurer de n'appartenir à aucun
autre homme, pour apaiser, une fois pour
toutes, mes inquiétudes sur ce point. Le cœur
pourtant n'avait point de part à cette inquiétude, ni même l'imagination. Une certaine
sorte de prétention était en effet si incarnée
en moi que j'avais de la difficulté à imaginer,
malgré l'évidence, qu'une femme qui avait

été à moi pût jamais appartenir à un autre. Mais ce serment qu'elles me faisaient me libérait en les liant. Du moment qu'elles n'appartiendraient à personne, je pouvais alors me décider à rompre, ce qui, autrement, m'était presque toujours impossible. La vérification, en ce qui les concernait, était faite une fois pour toutes, mon pouvoir assuré pour longtemps. Curieux, non ? C'est ainsi pourtant, mon cher compatriote. Les uns crient : « Aime-moi ! ». Les autres : « Ne m'aime pas ! ». Mais une certaine race, la pire et la plus malheureuse : « Ne m'aime pas et sois-moi fidèle ! »

Seulement, voilà, la vérification n'est jamais définitive, il faut la recommencer avec chaque être. A force de recommencer, on contracte des habitudes. Bientôt le discours vous vient sans y penser, le réflexe suit : on se trouve un jour dans la situation de prendre sans vraiment désirer. Croyez-moi, pour certains êtres, au moins, ne pas prendre ce qu'on ne désire pas est la chose la plus difficile du monde.

C'est ce qui arriva un jour et il n'est pas utile de vous dire qui elle était, sinon que,

sans me troubler vraiment, elle m'avait
attiré, par son air passif et avide. Franchement, ce fut médiocre, comme il fallait
s'y attendre. Mais je n'ai jamais eu de
complexes et j'oubliai bien vite la personne,
que je ne revis plus. Je pensais qu'elle ne
s'était aperçue de rien, et je n'imaginais
même pas qu'elle pût avoir une opinion.
D'ailleurs, son air passif la retranchait du
monde à mes yeux. Quelques semaines après,
pourtant, j'appris qu'elle avait confié à un
tiers mes insuffisances. Sur le coup, j'eus le
sentiment d'avoir été un peu trompé ; elle
n'était pas si passive que je le croyais, le
jugement ne lui manquait pas. Puis je haus-
sai les épaules et fis mine de rire. J'en ris
tout à fait même ; il était clair que cet inci-
dent était sans importance. S'il est un
domaine où la modestie devrait être la règle,
n'est-ce pas la sexualité, avec tout ce qu'elle
a d'imprévisible ? Mais non, c'est à qui sera
le plus avantageux, même dans la solitude.
Malgré mes haussements d'épaules, quelle
fut, en effet, ma conduite ? Je revis un peu
plus tard cette femme, je fis ce qu'il fallait
pour la séduire, et la reprendre vraiment. Ce

ne fut pas très difficile : elles non plus
n'aiment pas rester sur un échec. Dès cet instant, sans le vouloir clairement, je me mis,
en fait, à la mortifier de toutes les façons. Je
l'abandonnais et la reprenais, la forçais à se
donner dans des temps et des lieux qui ne
s'y prêtaient pas, la traitais de façon si bru-
tale, dans tous les domaines, que je finis par
m'attacher à elle comme j'imagine que le
geôlier se lie à son prisonnier. Et cela jusqu'au jour où, dans le violent désordre d'un
plaisir douloureux et contraint, elle rendit
hommage à voix haute à ce qui l'asservissait.
Ce jour-là, je commençai de m'éloigner
d'elle. Depuis, je l'ai oubliée.

Je conviendrai avec vous, malgré votre
courtois silence, que cette aventure n'est pas
très reluisante. Songez pourtant à votre
vie, mon cher compatriote ! Creusez votre
mémoire, peut-être y trouverez-vous quelque
histoire semblable que vous me conterez plus
tard. Quant à moi, lorsque cette affaire me
revint à l'esprit, je me mis encore à rire.
Mais c'était d'un autre rire, assez semblable
à celui que j'avais entendu sur le pont des
Arts. Je riais de mes discours et de mes plai-

doiries. Plus encore de mes plaidoiries, d'ailleurs, que de mes discours aux femmes.
A celles-ci, du moins, je mentais peu. L'ins-
tinct parlait clairement, sans faux-fuyants,
dans mon attitude. L'acte d'amour, par
exemple, est un aveu. L'égoïsme y crie,
ostensiblement, la vanité s'y étale, ou bien la
vraie générosité s'y révèle. Finalement, dans
cette regrettable histoire, mieux encore que
dans mes autres intrigues, j'avais été plus
franc que je ne pensais, j'avais dit qui j'étais,
et comment je pouvais vivre. Malgré les
apparences, j'étais donc plus digne dans ma
vie privée, même, et surtout, quand je me
conduisais comme je vous l'ai dit, que dans
mes grandes envolées professionnelles sur
l'innocence et la justice. Du moins, me
voyant agir avec les êtres, je ne pouvais pas
me tromper sur la vérité de ma nature. Nul
homme n'est hypocrite dans ses plaisirs, ai-je
lu cela ou l'ai-je pensé, mon cher compatriote ?

Quand je considérais, ainsi, la difficulté
que j'avais à me séparer définitivement
d'une femme, difficulté qui m'amenait à tant
de liaisons simultanées, je n'en accusais pas

la tendresse de mon cœur. Ce n'était pas
elle qui me faisait agir, lorsque l'une de
mes amies se lassait d'attendre l'Austerlitz
de notre passion et parlait de se retirer. Aussitôt, c'était moi qui faisais un pas en avant,
qui concédais, qui devenais éloquent. La tendresse, et la douce faiblesse d'un cœur, je les
réveillais en elles, n'en ressentant moi-même
que l'apparence, simplement un peu excité
par ce refus, alarmé aussi par la possible
perte d'une affection. Parfois, je croyais souffrir véritablement, il est vrai. Il suffisait pourtant que la rebelle partît vraiment pour que
je l'oubliasse sans effort, comme je l'oubliais
près de moi quand elle avait décidé, au
contraire, de revenir. Non, ce n'était pas
l'amour, ni la générosité qui me réveillait
lorsque j'étais en danger d'être abandonné,
mais seulement le désir d'être aimé et de
recevoir ce qui, selon moi, m'était dû. Aussitôt aimé, et ma partenaire à nouveau
oubliée, je reluisais, j'étais au mieux, je
devenais sympathique.

Notez d'ailleurs que cette affection, dès
que je l'avais regagnée, j'en ressentais le
poids. Dans mes moments d'agacement, je

me disais alors que la solution idéale eût été la mort pour la personne qui m'intéressait. Cette mort eût définitivement fixé notre lien, d'une part, et, de l'autre, lui eût ôté sa contrainte. Mais on ne peut souhaiter la mort de tout le monde ni, à la limite, dépeupler la planète pour jouir d'une liberté inimaginable autrement. Ma sensibilité s'y opposait, et mon amour des hommes.

Le seul sentiment profond qu'il m'arrivât d'éprouver dans ces intrigues était la gratitude, quand tout marchait bien et qu'on me laissait, en même temps que la paix, la liberté d'aller et de venir, jamais plus gentil et gai avec l'une que lorsque je venais de quitter le lit d'une autre, comme si j'étendais à toutes les autres femmes la dette que je venais de contracter près de l'une d'elles. Quelle que fût, d'ailleurs, la confusion apparente de mes sentiments, le résultat que j'obtenais était clair : je maintenais toutes mes affections autour de moi pour m'en servir quand je le voulais. Je ne pouvais donc vivre, de mon aveu même, qu'à la condition que, sur toute la terre, tous les êtres, ou le plus grand nombre possible, fussent tournés vers moi,

éternellement vacants, privés de vie indépen-
dante, prêts à répondre à mon appel à n'importe quel moment, voués enfin à la stérilité,
jusqu'au jour où je daignerais les favoriser
de ma lumière. En somme, pour que je vive
heureux, il fallait que les êtres que j'élisais
ne vécussent point. Ils ne devaient recevoir
leur vie, de loin en loin, que de mon bon
plaisir.

Ah ! je ne mets aucune complaisance,
croyez-le bien, à vous raconter cela. Quand
je pense à cette période où je demandais
tout sans rien payer moi-même, où je mobi-
lisais tant d'êtres à mon service, où je les
mettais en quelque sorte au frigidaire, pour
les avoir un jour ou l'autre sous la main, à
ma convenance, je ne sais comment nommer
le curieux sentiment qui me vient. Ne serait-
ce pas la honte ? La honte, dites-moi, mon
cher compatriote, ne brûle-t-elle pas un peu ?
Oui ? Alors, il s'agit peut-être d'elle, ou d'un
de ces sentiments ridicules qui concernent
l'honneur. Il me semble en tout cas que ce
sentiment ne m'a plus quitté depuis cette
aventure que j'ai trouvée au centre de ma
mémoire et dont je ne peux différer plus

longtemps le récit, malgré mes digressions et les efforts d'une invention à laquelle, je l'espère, vous rendez justice.

Tiens, la pluie a cessé ! Ayez la bonté de me raccompagner chez moi. Je suis fatigué, étrangement, non d'avoir parlé, mais à la seule idée de ce qu'il me faut encore dire. Allons ! Quelques mots suffiront pour retracer ma découverte essentielle. Pourquoi en dire plus, d'ailleurs ? Pour que la statue soit nue, les beaux discours doivent s'envoler. Voici. Cette nuit-là, en novembre, deux ou trois ans avant le soir où je crus entendre rire dans mon dos, je regagnais la rive gauche, et mon domicile, par le pont Royal. Il était une heure après minuit, une petite pluie tombait, une bruine plutôt, qui dispersait les rares passants. Je venais de quitter une amie qui, sûrement, dormait déjà. J'étais heureux de cette marche, un peu engourdi, le corps calmé, irrigué par un sang doux comme la pluie qui tombait. Sur le pont, je passai derrière une forme penchée sur le parapet, et qui semblait regarder le fleuve. De plus près, je distinguai une mince jeune femme, habillée de noir. Entre les cheveux sombres et le col du manteau, on voyait seulement une nuque, fraîche et mouillée, à laquelle je fus sensible. Mais je poursuivis ma route, après une hésitation. Au bout du pont, je pris les quais en direction de Saint-Michel, où je demeurais. J'avais déjà parcouru une cinquantaine de mètres à peu près, lorsque j'entendis le bruit, qui, malgré la distance, me parut formidable dans le silence nocturne, d'un corps qui s'abat sur l'eau. Je m'arrêtai net, mais sans me retourner. Presque aussitôt, j'entendis un cri, plusieurs fois répété, qui descendait lui aussi le fleuve, puis s'éteignit brusquement. Le silence qui suivit, dans la nuit soudain figée, me parut interminable. Je voulus courir et je ne bougeai pas. Je tremblais, je crois, de froid et de saisissement. Je me disais qu'il fallait faire vite et je sentais une faiblesse irrésistible envahir mon corps. J'ai oublié ce que j'ai pensé alors. « Trop tard, trop loin... » ou quelque chose de ce genre. J'écoutais toujours, immobile. Puis, à petits pas, sous la pluie, je m'éloignai. Je ne prévins personne.

Mais nous sommes arrivés, voici ma maison, mon abri ! Demain ? Oui, comme vous voudrez. Je vous mènerai volontiers à l'île de Marken, vous verrez le Zuyderzee. Rendez-vous à onze heures à *Mexico-City*. Quoi ? Cette femme ? Ah, je ne sais pas, vraiment, je ne sais pas. Ni le lendemain, ni les jours qui suivirent, je n'ai lu les journaux.

Un village de poupée, ne trouvez-vous pas ? Le pittoresque ne lui a pas été épargné ! Mais je ne vous ai pas conduit dans cette île pour le pittoresque, cher ami. Tout le monde peut vous faire admirer des coiffes, des sabots, et des maisons décorées où les pêcheurs fument du tabac fin dans l'odeur de l'encaustique. Je suis un des rares, au contraire, à pouvoir vous montrer ce qu'il y a d'important ici.

Nous atteignons la digue. Il faut la suivre pour être aussi loin que possible de ces trop gracieuses maisons. Asseyons-nous, je vous en prie. Qu'en dites-vous ? Voilà, n'est-

ce pas, le plus beau des paysages négatifs !
Voyez, à notre gauche, ce tas de cendres
qu'on appelle ici une dune, la digue grise à
notre droite, la grève livide à nos pieds et,
devant nous, la mer couleur de lessive faible,
le vaste ciel où se reflètent les eaux blêmes.
Un enfer mou, vraiment ! Rien que des hori-
zontales, aucun éclat, l'espace est incolore,
la vie morte. N'est-ce pas l'effacement uni-
versel, le néant sensible aux yeux ? Pas
d'hommes, surtout, pas d'hommes ! Vous et
moi, seulement, devant la planète enfin
déserte ! Le ciel vit ? Vous avez raison, cher
ami. Il s'épaissit, puis se creuse, ouvre des
escaliers d'air, ferme des portes de nuées. Ce
sont les colombes. N'avez-vous pas remarqué que le ciel de Hollande est rempli de
millions de colombes, invisibles tant elles se
tiennent haut, et qui battent des ailes, mon-
tent et descendent d'un même mouvement,
remplissant l'espace céleste avec des flots
épais de plumes grisâtres que le vent emporte
ou ramène. Les colombes attendent là-haut,
elles attendent toute l'année. Elles tournent
au-dessus de la terre, regardent, voudraient
descendre. Mais il n'y a rien, que la mer et

les canaux, des toits couverts d'enseignes, et nulle tête où se poser.

Vous ne comprenez pas ce que je veux dire ? Je vous avouerai ma fatigue. Je perds le fil de mes discours, je n'ai plus cette clarté d'esprit à laquelle mes amis se plaisaient à rendre hommage. Je dis mes amis, d'ailleurs, pour le principe. Je n'ai plus d'amis, je n'ai que des complices. En revanche, leur nombre a augmenté, ils sont le genre humain. Et dans le genre humain, vous le premier. Celui qui est là est toujours le premier. Comment je sais que je n'ai pas d'amis ? C'est très simple : je l'ai découvert le jour où j'ai pensé à me tuer pour leur jouer une bonne farce, pour les punir, en quelque sorte. Mais punir qui ? Quelques-uns seraient surpris ; personne ne se sentirait puni. J'ai compris que je n'avais pas d'amis. Du reste, même si j'en avais eu, je n'en serais pas plus avancé. Si j'avais pu me suicider et voir ensuite leur tête, alors, oui, le jeu en eût valu la chandelle. Mais la terre est obscure, cher ami, le bois épais, opaque le linceul. Les yeux de l'âme, oui, sans doute, s'il y a une âme et si elle a des yeux ! Mais voilà, on

n'est pas sûr, on n'est jamais sûr. Sinon, il
y aurait une issue, on pourrait enfin se faire
prendre au sérieux. Les hommes ne sont
convaincus de vos raisons, de votre sincérité,
et de la gravité de vos peines, que par votre
mort. Tant que vous êtes en vie, votre cas
est douteux, vous n'avez droit qu'à leur
scepticisme. Alors, s'il y avait une seule certitude qu'on puisse jouir du spectacle, cela
vaudrait la peine de leur prouver ce qu'ils
ne veulent pas croire, et de les étonner. Mais
vous vous tuez et qu'importe qu'ils vous
croient ou non : vous n'êtes pas là pour
recueillir leur étonnement et leur contrition,
d'ailleurs fugace, pour assister enfin, selon le
rêve de chaque homme, à vos propres funé-
railles. Pour cesser d'être douteux, il faut
cesser d'être, tout bellement.

Du reste, n'est-ce pas mieux ainsi ?
Nous souffririons trop de leur indifférence.
« Tu me le paieras ! » disait une fille à son
père qui l'avait empêchée de se marier à un
soupirant trop bien peigné. Et elle se tua.
Mais le père n'a rien payé du tout. Il adorait
la pêche au lancer. Trois dimanches après, il
retournait à la rivière, pour oublier, disait-il.

Le calcul était juste, il oublia. A vrai dire, c'est le contraire qui eût surpris. On croit mourir pour punir sa femme, et on lui rend la liberté. Autant ne pas voir ça. Sans compter qu'on risquerait d'entendre les raisons qu'ils donnent de votre geste. Pour ce qui me concerne, je les entends déjà : « Il s'est tué parce qu'il n'a pu supporter de... » Ah ! cher ami, que les hommes sont pauvres en invention. Ils croient toujours qu'on se suicide pour une raison. Mais on peut très bien se suicider pour deux raisons. Non, ça ne leur entre pas dans la tête. Alors, à quoi bon mourir volontairement, se sacrifier à l'idée qu'on veut donner de soi ? Vous mort, ils en profiteront pour donner à votre geste des motifs idiots, ou vulgaires. Les martyrs, cher ami, doivent choisir d'être oubliés, raillés ou utilisés. Quant à être compris, jamais.

Et puis, allons droit au but, j'aime la vie, voilà ma vraie faiblesse. Je l'aime tant que je n'ai aucune imagination pour ce qui n'est pas elle. Une telle avidité a quelque chose de plébéien, vous ne trouvez pas ? L'aristocratie ne s'imagine pas sans un peu de distance à

l'égard de soi-même et de sa propre vie. On
meurt s'il le faut, on rompt plutôt que de
plier. Mais moi, je plie, parce que je continue de m'aimer. Tenez, après tout ce que je
vous ai raconté, que croyez-vous qu'il me
soit venu ? Le dégoût de moi-même ? Allons
donc, c'était surtout des autres que j'étais
dégoûté. Certes, je connaissais mes défaillances et je les regrettais. Je continuais pourtant de les oublier, avec une obstination assez
méritoire. Le procès des autres, au contraire,
se faisait sans trêve dans mon cœur. Certainement, cela vous choque ? Vous pensez
peut-être que ce n'est pas logique ? Mais la
question n'est pas de rester logique. La question est de glisser au travers, et surtout, oh !
oui, surtout, la question est d'éviter le jugement. Je ne dis pas d'éviter le châtiment.
Car le châtiment sans jugement est suppor-
table. Il a un nom d'ailleurs qui garantit
notre innocence : le malheur. Non, il s'agit
au contraire de couper au jugement, d'éviter
d'être toujours jugé, sans que jamais la sentence soit prononcée.

Mais on n'y coupe pas si facilement. Pour
le jugement, aujourd'hui, nous sommes tou-

jours prêts, comme pour la fornication.
Avec cette différence qu'il n'y a pas à
craindre de défaillances. Si vous en doutez,
prêtez l'oreille aux propos de table, pendant
le mois d'août, dans ces hôtels de villégiature
où nos charitables compatriotes viennent
faire leur cure d'ennui. Si vous hésitez encore
à conclure, lisez donc les écrits de nos
grands hommes du moment. Ou bien observez votre propre famille, vous serez édifié.
Mon cher ami, ne leur donnons pas de pré-
texte à nous juger, si peu que ce soit ! Ou
sinon, nous voilà en pièces. Nous sommes
obligés aux mêmes prudences que le domp-
teur. S'il a le malheur, avant d'entrer dans la
cage, de se couper avec son rasoir, quel gueu-
leton pour les fauves ! J'ai compris cela d'un
coup, le jour où le soupçon m'est venu que,
peut-être, je n'étais pas si admirable. Dès
lors, je suis devenu méfiant. Puisque je sai-
gnais un peu, j'y passerais tout entier : ils
allaient me dévorer.

Mes rapports avec mes contemporains
étaient les mêmes, en apparence, et pourtant
devenaient subtilement désaccordés. Mes
amis n'avaient pas changé. Ils vantaient tou-

jours, à l'occasion, l'harmonie et la sécurité qu'on trouvait auprès de moi. Mais je n'étais sensible qu'aux dissonances, au désordre qui m'emplissait ; je me sentais vulnérable, et livré à l'accusation publique. Mes semblables cessaient d'être à mes yeux l'auditoire respectueux dont j'avais l'habitude. Le cercle dont j'étais le centre se brisait et ils se plaçaient sur une seule rangée, comme au tribunal. A partir du moment où j'ai appréhendé qu'il y eût en moi quelque chose à juger, j'ai compris, en somme, qu'il y avait en eux une vocation irrésistible de jugement. Oui, ils étaient là, comme avant, mais ils riaient. Ou plutôt il me semblait que chacun de ceux que je rencontrais me regardait avec un sourire caché. J'eus même l'impression, à cette époque, qu'on me faisait des crocs-en-jambe. Deux ou trois fois, en effet, je butai, sans raison, en entrant dans des endroits publics. Une fois même, je m'étalai. Le Français cartésien que je suis eut vite fait de se reprendre et d'attribuer ces accidents à la seule divinité raisonnable, je veux dire le hasard. N'importe, il me restait de la défiance.

Mon attention éveillée, il ne me fut pas difficile de découvrir que j'avais des ennemis. Dans mon métier d'abord, et puis dans ma vie mondaine. Pour les uns, je les avais obligés. Pour d'autres, j'aurais dû les obliger. Tout cela, en somme, était dans l'ordre et je le découvris sans trop de chagrin. Il me fut plus difficile et douloureux, en revanche, d'admettre que j'avais des ennemis parmi des gens que je connaissais à peine, ou pas du tout. J'avais toujours pensé, avec l'ingénuité dont je vous ai donné quelques preuves, que ceux qui ne me connaissaient pas ne pourraient s'empêcher de m'aimer s'ils venaient à me fréquenter. Eh bien, non ! Je rencontrai des inimitiés surtout parmi ceux qui ne me connaissaient que de très loin, et sans que je les connusse moi-même. Sans doute me soupçonnaient-ils de vivre pleinement et dans un libre abandon au bonheur : cela ne se pardonne pas. L'air de la réussite, quand il est porté d'une certaine manière, rendrait un âne enragé. Ma vie, d'autre part, était pleine à craquer et, par manque de temps, je refusais beaucoup d'avances. J'oubliais ensuite, pour la même raison, mes refus. Mais ces avances m'avaient été faites par des gens dont la vie n'était pas pleine et qui, pour cette même raison, se souvenaient de mes refus.

C'est ainsi, pour ne prendre qu'un exemple, que les femmes, au bout du compte, me coûtaient cher. Le temps que je leur consacrais, je ne pouvais le donner aux hommes, qui ne me le pardonnaient pas toujours. Comment s'en tirer ? On ne vous pardonne votre bonheur et vos succès que si vous consentez généreusement à les partager. Mais pour être heureux, il ne faut pas trop s'occuper des autres. Dès lors, les issues sont fermées. Heureux et jugé, ou absous et misérable. Quant à moi, l'injustice était plus grande : j'étais condamné pour des bonheurs anciens. J'avais vécu longtemps dans l'illusion d'un accord général, alors que, de toutes parts, les jugements, les flèches et les railleries fondaient sur moi, distrait et souriant. Du jour où je fus alerté, la lucidité me vint, je reçus toutes les blessures en même temps et je perdis mes forces d'un seul coup. L'univers entier se mit alors à rire autour de moi.

Voilà ce qu'aucun homme (sinon ceux qui ne vivent pas, je veux dire les sages) ne peut supporter. La seule parade est dans la méchanceté. Les gens se dépêchent alors de juger pour ne pas l'être eux-mêmes. Que voulez-vous ? L'idée la plus naturelle à l'homme, celle qui lui vient naïvement, comme du fond de sa nature, est l'idée de son innocence. De ce point de vue, nous sommes tous comme ce petit Français qui, à Buchenwald, s'obstinait à vouloir déposer une réclamation auprès du scribe, lui-même prisonnier, et qui enregistrait son arrivée. Une réclamation ? Le scribe et ses camarades riaient : « Inutile, mon vieux. On ne réclame pas, ici. » « C'est que, voyez-vous, monsieur, disait le petit Français, mon cas est exceptionnel. Je suis innocent ! »

Nous sommes tous des cas exceptionnels. Nous voulons tous faire appel de quelque chose ! Chacun exige d'être innocent, à tout prix, même si, pour cela, il faut accuser le genre humain et le ciel. Vous réjouirez médiocrement un homme en lui faisant compliment des efforts grâce auxquels il est devenu intelligent ou généreux. Il s'épa-

nouira au contraire si vous admirez sa générosité naturelle. Inversement, si vous dites à
un criminel que sa faute ne tient pas à sa
nature ni à son caractère, mais à de malheu-
reuses circonstances, il vous en sera violem-
ment reconnaissant. Pendant la plaidoirie, il
choisira même ce moment pour pleurer.
Pourtant, il n'y a pas de mérite à être honnête, ni intelligent, de naissance. Comme on
n'est sûrement pas plus responsable à être
criminel de nature qu'à l'être de circonstance. Mais ces fripons veulent la grâce,
c'est-à-dire l'irresponsabilité, et ils excipent
sans vergogne des justifications de la nature
ou des excuses des circonstances, même si
elles sont contradictoires. L'essentiel est
qu'ils soient innocents, que leurs vertus, par
grâce de naissance, ne puissent être mises en
doute, et que leurs fautes, nées d'un malheur
passager, ne soient jamais que provisoires. Je
vous l'ai dit, il s'agit de couper au jugement.
Comme il est difficile d'y couper, délicat de
faire en même temps admirer et excuser sa
nature, ils cherchent tous à être riches. Pourquoi ? Vous l'êtes-vous demandé ? Pour la
puissance, bien sûr. Mais surtout parce que

la richesse soustrait au jugement immédiat, vous retire de la foule du métro pour vous enfermer dans une carrosserie nickelée, vous isole dans de vastes parcs gardés, des wagons-lits, des cabines de luxe. La richesse, cher ami, ce n'est pas encore l'acquittement, mais le sursis, toujours bon à prendre...

Surtout, ne croyez pas vos amis, quand ils vous demanderont d'être sincère avec eux. Ils espèrent seulement que vous les entretiendrez dans la bonne idée qu'ils ont d'eux-mêmes, en les fournissant d'une certitude supplémentaire qu'ils puiseront dans votre promesse de sincérité. Comment la sincérité serait-elle une condition de l'amitié ? Le goût de la vérité à tout prix est une passion qui n'épargne rien et à quoi rien ne résiste. C'est un vice, un confort parfois, ou un égoïsme. Si, donc, vous vous trouvez dans ce cas, n'hésitez pas : promettez d'être vrai et mentez le mieux possible. Vous répondrez à leur désir profond et leur prouverez doublement votre affection.

C'est si vrai que nous nous confions rarement à ceux qui sont meilleurs que nous. Nous fuirions plutôt leur société. Le plus

souvent, au contraire, nous nous confessons
à ceux qui nous ressemblent et qui partagent nos faiblesses. Nous ne désirons donc
pas nous corriger, ni être améliorés : il
faudrait d'abord que nous fussions jugés
défaillants. Nous souhaitons seulement être
plaints et encouragés dans notre voie. En
somme, nous voudrions, en même temps, ne
plus être coupables et ne pas faire l'effort de
nous purifier. Pas assez de cynisme et pas
assez de vertu. Nous n'avons ni l'énergie du
mal, ni celle du bien. Connaissez-vous
Dante ? Vraiment ? Diable. Vous savez
donc que Dante admet des anges neutres
dans la querelle entre Dieu et Satan. Et il les
place dans les Limbes, une sorte de vestibule
de son enfer. Nous sommes dans le vestibule, cher ami.

De la patience ? Vous avez raison, sans
doute. Il nous faudrait la patience d'attendre
le jugement dernier. Mais voilà, nous
sommes pressés. Si pressés même que j'ai été
obligé de me faire juge-pénitent. Cependant,
j'ai dû d'abord m'arranger de mes décou-
vertes et me mettre en règle avec le rire de
mes contemporains. A partir du soir où j'ai

été appelé, car j'ai été appelé réellement,
j'ai dû répondre ou du moins chercher la
réponse. Ce n'était pas facile ; j'ai longtemps
erré. Il a fallu d'abord que ce rire perpé-
tuel, et les rieurs, m'apprissent à voir plus
clair en moi, à découvrir enfin que je n'étais
pas simple. Ne souriez pas, cette vérité n'est
pas aussi première qu'elle paraît. On appelle
vérités premières celles qu'on découvre après
toutes les autres, voilà tout.

Toujours est-il qu'après de longues études
sur moi-même, j'ai mis au jour la duplicité
profonde de la créature. J'ai compris alors,
à force de fouiller dans ma mémoire, que la
modestie m'aidait à briller, l'humilité à
vaincre et la vertu à opprimer. Je faisais la
guerre par des moyens pacifiques et j'obtenais enfin, par les moyens du désintéressement, tout ce que je convoitais. Par exemple,
je ne me plaignais jamais qu'on oubliât la
date de mon anniversaire ; on s'étonnait
même, avec une pointe d'admiration, de ma
discrétion à ce sujet. Mais la raison de mon
désintéressement était encore plus discrète :
je désirais être oublié afin de pouvoir m'en
plaindre à moi-même. Plusieurs jours avant

la date, entre toutes glorieuse, que je connaissais bien, j'étais aux aguets, attentif à ne rien
laisser échapper qui puisse éveiller l'attention
et la mémoire de ceux dont j'escomptais la
défaillance (n'ai-je pas eu un jour l'intention
de truquer un calendrier d'appartement ?).
Ma solitude bien démontrée, je pouvais alors
m'abandonner aux charmes d'une virile tristesse.

La face de toutes mes vertus avait ainsi un
revers moins imposant. Il est vrai que, dans
un autre sens, mes défauts tournaient à mon
avantage. L'obligation où je me trouvais de
cacher la partie vicieuse de ma vie me donnait par exemple un air froid que l'on
confondait avec celui de la vertu, mon indifférence me valait d'être aimé, mon égoïsme
culminait dans mes générosités. Je m'arrête : trop de symétrie nuirait à ma démons-
tration. Mais quoi, je me faisais dur et je
n'ai jamais pu résister à l'offre d'un verre
ni d'une femme ! Je passais pour actif, énergique, et mon royaume était le lit. Je criais
ma loyauté et il n'est pas, je crois, un seul
des êtres que j'aie aimés que, pour finir, je
n'aie aussi trahi. Bien sûr, mes trahisons

n'empêchaient pas ma fidélité, j'abattais un travail considérable à force d'indolences, je n'avais jamais cessé d'aider mon prochain, grâce au plaisir que j'y trouvais. Mais j'avais beau me répéter ces évidences, je n'en tirais que de superficielles consolations. Certains matins, j'instruisais mon procès jusqu'au bout et j'arrivais à la conclusion que j'excellais surtout dans le mépris. Ceux mêmes que j'aidais le plus souvent étaient le plus méprisés. Avec courtoisie, avec une solidarité pleine d'émotion, je crachais tous les jours à la figure de tous les aveugles.

Franchement, y a-t-il une excuse à cela ? Il y en a une, mais si misérable que je ne puis songer à la faire valoir. En tout cas, voilà : je n'ai jamais pu croire profondément que les affaires humaines fussent choses sérieuses. Où était le sérieux, je n'en savais rien, sinon qu'il n'était pas dans tout ceci que je voyais et qui m'apparaissait seulement comme un jeu amusant, ou importun. Il y a vraiment des efforts et des convictions que je n'ai jamais compris. Je regardais toujours d'un air étonné, et un peu soupçonneux, ces étranges créatures qui mouraient pour de l'argent, se désespéraient pour la perte d'une « situation » ou se sacrifiaient avec de grands airs pour la prospérité de leur famille. Je comprenais mieux cet ami qui s'était mis en tête de ne plus fumer et, à force de volonté, y avait réussi. Un matin, il ouvrit le journal, lut que la première bombe H avait explosé, s'instruisit de ses admirables effets et entra sans délai dans un bureau de tabac.

Sans doute, je faisais mine, parfois, de prendre la vie au sérieux. Mais, bien vite, la frivolité du sérieux lui-même m'apparaissait et je continuais seulement de jouer mon rôle, aussi bien que je pouvais. Je jouais à être efficace, intelligent, vertueux, civique, indigné, indulgent, solidaire, édifiant... Bref, je m'arrête, vous avez déjà compris que j'étais comme mes Hollandais qui sont là sans y être : j'étais absent au moment où je tenais le plus de place. Je n'ai vraiment été sincère et enthousiaste qu'au temps où je faisais du sport, et, au régiment, quand je jouais dans les pièces que nous représentions pour notre plaisir. Il y avait dans les deux cas une règle du jeu, qui n'était pas sérieuse, et qu'on s'amusait à prendre pour telle. Maintenant

encore, les matches du dimanche, dans un
stade plein à craquer, et le théâtre, que j'ai
aimé avec une passion sans égale, sont les
seuls endroits du monde où je me sente
innocent.

Mais qui admettrait qu'une pareille attitude soit légitime quand il s'agit de l'amour,
de la mort et du salaire des misérables ?
Que faire pourtant ? Je n'imaginais l'amour
d'Yseult que dans les romans ou sur une
scène. Les agonisants me paraissaient parfois
pénétrés de leurs rôles. Les répliques de
mes clients pauvres me semblaient toujours
conformes au même canevas. Dès lors, vivant
parmi les hommes sans partager leurs intérêts, je ne parvenais pas à croire aux engagements que je prenais. J'étais assez courtois, et assez indolent, pour répondre à ce
qu'ils attendaient de moi dans mon métier,
ma famille ou ma vie de citoyen, mais,
chaque fois, avec une sorte de distraction,
qui finissait par tout gâter. J'ai vécu ma vie
entière sous un double signe et mes actions
les plus graves ont été souvent celles où
j'étais le moins engagé. N'était-ce pas cela,
après tout, que, pour ajouter à mes bêtises,

je n'ai pu me pardonner, qui m'a fait regim-
ber avec le plus de violence contre le jugement que je sentais à l'œuvre, en moi et
autour de moi, et qui m'a obligé à chercher
une issue ?

Pendant quelque temps, et en apparence,
ma vie continua comme si rien n'était
changé. J'étais sur des rails et je roulais.
Comme par un fait exprès, les louanges
redoublaient autour de moi. Justement, le
mal vint de là. Vous vous rappelez :
« Malheur à vous quand tous les hommes
diront du bien de vous ! » Ah ! celui-là
parlait d'or ! Malheur à moi ! La machine se
mit donc à avoir des caprices, des arrêts
inexplicables.

C'est à ce moment que la pensée de la
mort fit irruption dans ma vie quotidienne.
Je mesurais les années qui me séparaient de
ma fin. Je cherchais des exemples d'hommes
de mon âge qui fussent déjà morts. Et j'étais
tourmenté par l'idée que je n'aurais pas le
temps d'accomplir ma tâche. Quelle tâche ?
Je n'en savais rien. A franchement parler, ce
que je faisais valait-il la peine d'être continué ? Mais ce n'était pas exactement cela.

Une crainte ridicule me poursuivait, en effet : on ne pouvait mourir sans avoir avoué tous ses mensonges. Non pas à Dieu, ni à un de ses représentants, j'étais au-dessus de ça, vous le pensez bien. Non, il s'agissait de l'avouer aux hommes, à un ami, ou à une femme aimée, par exemple. Autrement, et n'y eût-il qu'un seul mensonge de caché dans une vie, la mort le rendait définitif. Personne, jamais plus, ne connaîtrait la vérité sur ce point puisque le seul qui la connût était justement le mort, endormi sur son secret. Ce meurtre absolu d'une vérité me donnait le vertige. Aujourd'hui, entre parenthèses, il me donnerait plutôt des plaisirs délicats. L'idée, par exemple, que je suis seul à connaître ce que tout le monde cherche et que j'ai chez moi un objet qui a fait courir en vain trois polices est purement délicieuse. Mais laissons cela. A l'époque, je n'avais pas trouvé la recette et je me tourmentais.

Je me secouais, bien sûr. Qu'importait le mensonge d'un homme dans l'histoire des générations et quelle prétention de vouloir amener dans la lumière de la vérité une

misérable tromperie, perdue dans l'océan des
âges comme le grain de sel dans la mer ! Je
me disais aussi que la mort du corps, si j'en
jugeais par celles que j'avais vues, était, par
elle-même, une punition suffisante et qui
absolvait tout. On y gagnait son salut (c'est-à-
dire le droit de disparaître définitivement)
à la sueur de l'agonie. Il n'empêche, le
malaise grandissait, la mort était fidèle à
mon chevet, je me levais avec elle, et les
compliments me devenaient de plus en plus
insupportables. Il me semblait que le mensonge augmentait avec eux, si démesuré-
ment, que jamais plus je ne pourrais me
mettre en règle.

Un jour vint où je n'y tins plus. Ma première réaction fut désordonnée. Puisque
j'étais menteur, j'allais le manifester et jeter
ma duplicité à la figure de tous ces imbéciles
avant même qu'ils la découvrissent. Provo-
qué à la vérité, je répondrais au défi. Pour
prévenir le rire, j'imaginai donc de me jeter
dans la dérision générale. En somme, il
s'agissait encore de couper au jugement. Je
voulais mettre les rieurs de mon côté ou, du
moins, me mettre de leur côté. Je méditais

par exemple de bousculer des aveugles dans
la rue, et à la joie sourde et imprévue que
j'en éprouvais, je découvrais à quel point
une partie de mon âme les détestait ; je pro-
jetais de crever les pneumatiques des petites
voitures d'infirmes, d'aller hurler « sale
pauvre » sous les échafaudages où travail-
laient les ouvriers, de gifler des nourrissons
dans le métro. Je rêvais de tout cela et n'en
fis rien, ou, si je fis quelque chose d'appro-
chant, je l'ai oublié. Toujours est-il que le
mot même de justice me jetait dans
d'étranges fureurs. Je continuais, forcément,
de l'utiliser dans mes plaidoiries. Mais je
m'en vengeais en maudissant publiquement
l'esprit d'humanité ; j'annonçais la publica-
tion d'un manifeste dénonçant l'oppression
que les opprimés faisaient peser sur les honnêtes gens. Un jour où je mangeais de la
langouste à la terrasse d'un restaurant et où
un mendiant m'importunait, j'appelai le
patron pour le chasser et j'applaudis à grand
bruit le discours de ce justicier : « Vous
gênez, disait-il. Mettez-vous à la place de ces
messieurs-dames, à la fin ! » Je disais aussi,
à qui voulait l'entendre, mon regret qu'il ne

fût plus possible d'opérer comme un propriétaire russe dont j'admirais le caractère : il
faisait fouetter en même temps ceux de ses
paysans qui le saluaient et ceux qui ne le
saluaient pas pour punir une audace qu'il
jugeait dans les deux cas également effrontée.

Je me souviens cependant de débordements plus graves. Je commençais d'écrire
une *Ode à la police* et une *Apothéose du cou-
peret*. Surtout, je m'obligeais à visiter régu-
lièrement les cafés spécialisés où se réunis-
saient nos humanistes professionnels. Mes
bons antécédents m'y faisaient naturellement
bien recevoir. Là, sans y paraître, je lâchais
un gros mot : « Dieu merci ! » disais-je ou
plus simplement : « Mon Dieu... » Vous
savez comme nos athées de bistrots sont de
timides communiants. Un moment de stu-
peur suivait l'énoncé de cette énormité, ils
se regardaient, stupéfaits, puis le tumulte
éclatait, les uns fuyaient hors du café, les
autres caquetaient avec indignation sans rien
écouter, tous se tordaient de convulsions,
comme le diable sous l'eau bénite.

Vous devez trouver cela puéril. Pourtant,
il y avait peut-être une raison plus sérieuse

à ces plaisanteries. Je voulais déranger le jeu et surtout, oui, détruire cette réputation flatteuse dont la pensée me mettait en fureur. « Un homme comme vous... » me disait-on avec gentillesse, et je blêmissais. Je n'en voulais plus de leur estime puisqu'elle n'était pas générale et comment aurait-elle été générale puisque je ne pouvais la partager ? Alors, il valait mieux tout recouvrir, jugement et estime, d'un manteau de ridicule. Il me fallait libérer de toute façon le sentiment qui m'étouffait. Pour exposer aux regards ce qu'il avait dans le ventre, je voulais fracturer le beau mannequin que je présentais en tous lieux. Je me souviens ainsi d'une causerie que je devais faire devant de jeunes avocats stagiaires. Agacé par les incroyables éloges du bâtonnier qui m'avait présenté, je ne pus tenir longtemps. J'avais commencé avec la fougue et l'émotion qu'on attendait de moi et que je n'avais aucune difficulté à livrer sur commande. Mais je me mis soudain à conseiller l'amalgame comme méthode de défense. Non pas, disais-je, cet amalgame perfectionné par les inquisitions modernes qui

jugent en même temps un voleur et un
honnête homme pour accabler le second des
crimes du premier. Il s'agissait au contraire
de défendre le voleur en faisant valoir les
crimes de l'honnête homme, l'avocat en l'oc-
currence. Je m'expliquai fort clairement sur
ce point :

« Supposons que j'aie accepté de défendre
quelque citoyen attendrissant, meurtrier par
jalousie. Considérez, dirais-je, messieurs les
jurés, ce qu'il y a de véniel à se fâcher,
lorsqu'on voit sa bonté naturelle mise à
l'épreuve par la malignité du sexe. N'est-il
pas plus grave au contraire de se trouver de
ce côté-ci de la barre, sur mon propre banc,
sans avoir jamais été bon, ni souffert d'être
dupe. Je suis libre, soustrait à vos rigueurs,
et qui suis-je pourtant ? Un citoyen-soleil
quant à l'orgueil, un bouc de luxure, un
pharaon dans la colère, un roi de paresse. Je
n'ai tué personne ? Pas encore sans doute !
Mais n'ai-je pas laissé mourir de méritantes
créatures ? Peut-être. Et peut-être suis-je
prêt à recommencer. Tandis que celui-ci,
regardez-le, il ne recommencera pas. Il est
encore tout étonné d'avoir si bien travaillé. »

Ce discours troubla un peu mes jeunes
confrères. Au bout d'un moment, ils prirent le parti d'en rire. Ils se rassurèrent tout
à fait lorsque j'en vins à ma conclusion,
où j'invoquais avec éloquence la personne
humaine, et ses droits supposés. L'habitude,
ce jour-là, fut la plus forte.

En renouvelant ces aimables incartades,
je réussis seulement à désorienter un peu
l'opinion. Non à la désarmer, ni surtout à
me désarmer. L'étonnement que je rencontrais généralement chez mes auditeurs, leur
gêne un peu réticente, assez semblable à
celle que vous montrez — non, ne protestez
pas — ne m'apportèrent aucun apaise-
ment. Voyez-vous, il ne suffit pas de s'accuser pour s'innocenter, ou sinon je serais
un pur agneau. Il faut s'accuser d'une certaine manière, qu'il m'a fallu beaucoup de
temps pour mettre au point, et que je n'ai
pas découverte avant de m'être trouvé dans
l'abandon le plus complet. Jusque-là, le rire
a continué de flotter autour de moi, sans que
mes efforts désordonnés réussissent à lui ôter
ce qu'il avait de bienveillant, de presque
tendre, et qui me faisait mal.

Mais la mer monte, il me semble. Notre bateau ne va pas tarder à partir, le jour s'achève. Voyez, les colombes se rassemblent là-haut. Elles se pressent les unes contre les autres, elles remuent à peine, et la lumière baisse. Voulez-vous que nous nous taisions pour savourer cette heure assez sinistre ? Non, je vous intéresse ? Vous êtes bien honnête. Du reste, je risque maintenant de vous intéresser vraiment. Avant de m'expliquer sur les juges-pénitents, j'ai à vous parler de la débauche et du malconfort.

Vous vous trompez, cher, le bateau file à bonne allure. Mais le Zuyderzee est une mer morte, ou presque. Avec ses bords plats, perdus dans la brume, on ne sait où elle commence, où elle finit. Alors, nous marchons sans aucun repère, nous ne pouvons évaluer notre vitesse. Nous avançons, et rien ne change. Ce n'est pas de la navigation, mais du rêve.

Dans l'archipel grec, j'avais l'impression contraire. Sans cesse, de nouvelles îles apparaissaient sur le cercle de l'horizon. Leur échine sans arbres traçait la limite du ciel, leur rivage rocheux tranchait nettement sur la mer. Aucune confusion ; dans la lumière précise, tout était repère. Et d'une île à l'autre, sans trêve, sur notre petit bateau, qui se traînait pourtant, j'avais l'impression de bondir, nuit et jour, à la crête des courtes vagues fraîches, dans une course pleine d'écume et de rires. Depuis ce temps, la Grèce elle-même dérive quelque part en moi, au bord de ma mémoire, inlassablement... Eh ! là, je dérive, moi aussi, je deviens lyrique ! Arrêtez-moi, cher, je vous en prie.

A propos, connaissez-vous la Grèce ? Non ? Tant mieux ! Qu'y ferions-nous, je vous le demande ? Il y faut des cœurs purs. Savez-vous que, là-bas, les amis se promènent dans la rue, deux par deux, en se tenant la main. Oui, les femmes restent à la maison, et l'on voit des hommes mûrs, respectables, ornés de moustaches, arpenter gravement les trottoirs, leurs doigts mêlés à ceux de l'ami. En Orient aussi, parfois ? Soit. Mais dites-moi, prendriez-vous ma main dans les rues de Paris ? Ah ! je plaisante. Nous avons de la tenue, nous, la crasse nous guinde. Avant de nous présenter dans les îles grecques, il faudrait nous laver longuement. L'air y est chaste, la mer et la jouissance claires. Et nous...

Asseyons-nous sur ces transatlantiques.
Quelle brume ! J'étais resté, je crois, sur le
chemin du malconfort. Oui, je vous dirai de
quoi il s'agit. Après m'être débattu, après
avoir épuisé mes grands airs insolents,
découragé par l'inutilité de mes efforts, je
décidai de quitter la société des hommes.
Non, non, je n'ai pas cherché d'île déserte,
il n'y en a plus. Je me suis réfugié seulement
auprès des femmes. Vous le savez, elles ne
condamnent vraiment aucune faiblesse : elles
essaieraient plutôt d'humilier ou de désarmer nos forces. C'est pourquoi la femme est
la récompense, non du guerrier, mais du
criminel. Elle est son port, son havre, c'est
dans le lit de la femme qu'il est généralement arrêté. N'est-elle pas tout ce qui nous
reste du paradis terrestre ? Désemparé, je
courus à mon port naturel. Mais je ne faisais plus de discours. Je jouais encore un
peu, par habitude ; l'invention manquait
cependant. J'hésite à l'avouer, de peur de
prononcer encore quelques gros mots : il me
semble bien qu'à cette époque je ressentis le
besoin d'un amour. Obscène, n'est-ce pas ?
J'éprouvais en tout cas une sourde souf-

france, une sorte de privation qui me rendit plus vacant, et me permit, moitié forcé, moitié curieux, de prendre quelques engagements. Puisque j'avais besoin d'aimer et d'être aimé, je crus être amoureux. Autrement dit, je fis la bête.

Je me surprenais à poser souvent une question qu'en homme d'expérience j'avais toujours évitée jusque-là. Je m'entendais demander : « Tu m'aimes ? » Vous savez qu'il est d'usage de répondre en pareil cas : « Et toi ? » Si je répondais oui, je me trouvais engagé au-delà de mes vrais sentiments. Si j'osais dire non, je risquais de ne plus être aimé, et j'en souffrais. Plus le sentiment où j'avais espéré trouver le repos se trouvait alors menacé, et plus je le réclamais de ma partenaire. J'étais donc amené à des promesses de plus en plus explicites, j'en venais à exiger de mon cœur un sentiment de plus en plus vaste. Je me pris ainsi d'une fausse passion pour une charmante ahurie qui avait si bien lu la presse du cœur qu'elle parlait de l'amour avec la sûreté et la conviction d'un intellectuel annonçant la société sans classes. Cette conviction, vous ne l'igno-

rez pas, est entraînante. Je m'essayai à parler
aussi de l'amour et finis par me persuader
moi-même. Jusqu'au moment du moins où
elle devint ma maîtresse et où je compris
que la presse du cœur, qui enseignait à parler de l'amour, n'apprenait pas à le faire.
Après avoir aimé un perroquet, il me fallut
coucher avec un serpent. Je cherchai donc
ailleurs l'amour promis par les livres, et
que je n'avais jamais rencontré dans la
vie.

Mais je manquais d'entraînement. Il y
avait plus de trente ans que je m'aimais
exclusivement. Comment espérer perdre une
telle habitude ? Je ne la perdis point et res-
tai un velléitaire de la passion. Je multipliai
les promesses. Je contractai des amours
simultanées, comme j'avais eu, en d'autres
temps, des liaisons multiples. J'accumulai
alors plus de malheurs, pour les autres,
qu'au temps de ma belle indifférence. Vous
ai-je dit que mon perroquet, désespéré, vou-
lut se laisser mourir de faim ? Heureusement, j'arrivai à temps et me résignai à lui
tenir la main, jusqu'à ce qu'elle rencontrât,
revenu d'un voyage à Bali, l'ingénieur

aux tempes grises, que lui avait déjà décrit
son hebdomadaire favori. En tout cas,
loin de me trouver transporté et absous dans
l'éternité, comme on dit, de la passion,
j'ajoutai encore au poids de mes fautes et à
mon égarement. J'en conçus une telle horreur de l'amour que, pendant des années, je
ne pus entendre sans grincer des dents *La
Vie en rose* ou *La Mort d'amour d'Yseult*.
J'essayai alors de renoncer aux femmes,
d'une certaine manière, et de vivre en état
de chasteté. Après tout, leur amitié devait
me suffire. Mais cela revenait à renoncer au
jeu. Hors du désir, les femmes m'ennuyèrent
au-delà de toute attente et, visiblement, je
les ennuyais aussi. Plus de jeu, plus de
théâtre, j'étais sans doute dans la vérité.
Mais la vérité, cher ami, est assommante.

Désespérant de l'amour et de la chasteté,
je m'avisai enfin qu'il restait la débauche qui
remplace très bien l'amour, fait taire les
rires, ramène le silence, et, surtout, confère
l'immortalité. A un certain degré d'ivresse
lucide, couché, tard dans la nuit, entre deux
filles, et vidé de tout désir, l'espoir n'est plus
une torture, voyez-vous, l'esprit règne sur

tous les temps, la douleur de vivre est à
jamais révolue. Dans un sens, j'avais toujours vécu dans la débauche, n'ayant jamais
cessé de vouloir être immortel. N'était-ce
pas le fond de ma nature, et aussi un
effet du grand amour de moi-même dont
je vous ai parlé ? Oui, je mourais d'envie
d'être immortel. Je m'aimais trop pour ne
pas désirer que le précieux objet de mon
amour ne disparût jamais. Comme, à l'état
de veille, et pour peu qu'on se connaisse, on
n'aperçoit pas de raisons valables pour que
l'immortalité soit conférée à un singe salace,
il faut bien se procurer des succédanés de
cette immortalité. Parce que je désirais la vie
éternelle, je couchais donc avec des putains
et je buvais pendant des nuits. Le matin,
bien sûr, j'avais dans la bouche le goût amer
de la condition mortelle. Mais, pendant de
longues heures, j'avais plané, bienheureux.
Oserai-je vous l'avouer ? Je me souviens
encore avec tendresse de certaines nuits où
j'allais, dans une boîte sordide, retrouver une
danseuse à transformations qui m'honorait
de ses faveurs et pour la gloire de laquelle je
me battis même, un soir, avec un barbillon

vantard. Je paradais toutes les nuits au comptoir, dans la lumière rouge et la poussière de ce lieu de délices, mentant comme un arracheur de dents et buvant longuement. J'attendais l'aube, j'échouais enfin dans le lit toujours défait de ma princesse qui se livrait mécaniquement au plaisir, puis dormait sans transition. Le jour venait doucement éclairer ce désastre et je m'élevais, immobile, dans un matin de gloire.

L'alcool et les femmes m'ont fourni, avouons-le, le seul soulagement dont je fusse digne. Je vous livre ce secret, cher ami, ne craignez pas d'en user. Vous verrez alors que la vraie débauche est libératrice parce qu'elle ne crée aucune obligation. On n'y possède que soi-même, elle reste donc l'occupation préférée des grands amoureux de leur propre personne. Elle est une jungle, sans avenir ni passé, sans promesse surtout, ni sanction immédiate. Les lieux où elle s'exerce sont séparés du monde. On laisse en y entrant la crainte comme l'espérance. La conversation n'y est pas obligatoire ; ce qu'on vient y chercher peut s'obtenir sans paroles, et souvent même, oui, sans argent.

Ah ! laissez-moi, je vous prie, rendre un hommage particulier aux femmes inconnues et oubliées qui m'ont aidé alors. Aujourd'hui encore, il se mêle au souvenir que j'ai gardé d'elles quelque chose qui ressemble à du respect.

J'usai en tout cas sans retenue de cette libération. On me vit même dans un hôtel, voué à ce qu'on appelle le péché, vivre à la fois avec une prostituée mûre et une jeune fille du meilleur monde. Je jouai les chevaliers servants avec la première et mis la seconde à même de connaître quelques réalités. Malheureusement la prostituée avait une nature fort bourgeoise : elle a consenti depuis à écrire ses souvenirs pour un journal confessionnel très ouvert aux idées modernes. La jeune fille, de son côté, s'est mariée pour satisfaire ses instincts débridés et donner un emploi à des dons remarquables. Je ne suis pas peu fier non plus d'avoir été accueilli comme un égal, à cette époque, par une corporation masculine trop souvent calomniée. Je glisserai là-dessus : vous savez que même des gens très intelligents tirent gloire de pouvoir vider une bouteille de plus que le

voisin. J'aurais pu enfin trouver la paix et
la délivrance dans cette heureuse dissipation.
Mais, là encore, je rencontrai un obstacle en
moi-même. Ce fut mon foie, pour le coup,
et une fatigue si terrible qu'elle ne m'a pas
encore quitté. On joue à être immortel et,
au bout de quelques semaines, on ne sait
même plus si l'on pourra se traîner jusqu'au
lendemain.

Le seul bénéfice de cette expérience, quand
j'eus renoncé à mes exploits nocturnes, fut
que la vie me devint moins douloureuse. La
fatigue qui rongeait mon corps avait érodé
en même temps beaucoup de points vifs en
moi. Chaque excès diminue la vitalité, donc
la souffrance. La débauche n'a rien de fréné-
tique, contrairement à ce qu'on croit. Elle
n'est qu'un long sommeil. Vous avez dû le
remarquer, les hommes qui souffrent vraiment de jalousie n'ont rien de plus pressé que
de coucher avec celle dont ils pensent pourtant qu'elle les a trahis. Bien sûr, ils veulent s'assurer une fois de plus que leur cher
trésor leur appartient toujours. Ils veulent le
posséder, comme on dit. Mais c'est aussi que,
tout de suite après, ils sont moins jaloux. La

jalousie physique est un effet de l'imagination en même temps qu'un jugement qu'on
porte sur soi-même. On prête au rival les
vilaines pensées qu'on a eues dans les mêmes
circonstances. Heureusement, l'excès de la
jouissance débilite l'imagination comme le
jugement. La souffrance dort alors avec
la virilité, et aussi longtemps qu'elle. Pour
les mêmes raisons, les adolescents perdent
avec leur première maîtresse l'inquiétude
métaphysique et certains mariages, qui sont
des débauches bureaucratisées, deviennent en
même temps les monotones corbillards de
l'audace et de l'invention. Oui, cher ami, le
mariage bourgeois a mis notre pays en pan-
toufles, et bientôt aux portes de la mort.

J'exagère ? Non, mais je m'égare. Je voulais seulement vous dire l'avantage que je
tirai de ces mois d'orgie. Je vivais dans une
sorte de brouillard où le rire se faisait
assourdi, au point que je finissais par ne plus
le percevoir. L'indifférence qui occupait déjà
tant de place en moi ne trouvait plus de
résistance et étendait sa sclérose. Plus d'émo-
tions ! Une humeur égale, ou plutôt pas
d'humeur du tout. Les poumons tuberculeux

guérissent en se desséchant et asphyxient peu
à peu leur heureux propriétaire. Ainsi de
moi qui mourais paisiblement de ma guérison. Je vivais encore de mon métier,
quoique ma réputation fût bien enta-
mée par mes écarts de langage, l'exercice
régulier de ma profession compromis par le
désordre de ma vie. Il est intéressant de
noter pourtant qu'on me fit moins grief de
mes excès nocturnes que de mes provocations
de langage. La référence, purement verbale,
que parfois je faisais à Dieu dans mes plaidoiries, donnait de la méfiance à mes clients.
Ils craignaient sans doute que le ciel ne pût
prendre en main leurs intérêts aussi bien
qu'un avocat imbattable sur le Code. De là
à conclure que j'invoquais la divinité dans la
mesure de mes ignorances, il n'y avait qu'un
pas. Mes clients firent ce pas et se raréfièrent.
De loin en loin, je plaidais encore. Parfois
même, oubliant que je ne croyais plus à ce
que je disais, je plaidais bien. Ma propre
voix m'entraînait, je la suivais ; sans vraiment planer, comme autrefois, je m'élevais
un peu au-dessus du sol, je faisais du rase-
mottes. Hors de mon métier enfin, je voyais

peu de monde, entretenais la survie pénible
d'une ou deux liaisons fatiguées. Il m'arrivait même de passer des soirées de pure amitié, sans que le désir s'y mêlât, à cette différence près que, résigné à l'ennui, j'écoutais
à peine ce qu'on me disait. Je grossissais un
peu et je pus croire enfin que la crise était
terminée. Il ne s'agissait plus que de vieillir.

Un jour pourtant, au cours d'un voyage
que j'offris à une amie, sans lui dire que je
le faisais pour fêter ma guérison, je me trouvais à bord d'un transatlantique, sur le pont
supérieur, naturellement. Soudain, j'aperçus
au large un point noir sur l'Océan couleur de
fer. Je détournai les yeux aussitôt, mon cœur
se mit à battre. Quand je me forçai à regarder, le point noir avait disparu. J'allais crier,
appeler stupidement à l'aide, quand je le
revis. Il s'agissait d'un de ces débris que les
navires laissent derrière eux. Pourtant, je
n'avais pu supporter de le regarder, j'avais
tout de suite pensé à un noyé. Je compris
alors, sans révolte, comme on se résigne à
une idée dont on connaît depuis longtemps
la vérité, que ce cri qui, des années auparavant, avait retenti sur la Seine, derrière

moi, n'avait pas cessé, porté par le fleuve vers
les eaux de la Manche, de cheminer dans le
monde, à travers l'étendue illimitée de
l'Océan, et qu'il m'y avait attendu jusqu'à ce
jour où je l'avais rencontré. Je compris aussi
qu'il continuerait de m'attendre sur les mers
et les fleuves, partout enfin où se trouverait
l'eau amère de mon baptême. Ici encore,
dites-moi, ne sommes-nous pas sur l'eau ?
Sur l'eau plate, monotone, interminable, qui
confond ses limites à celles de la terre ?
Comment croire que nous allons arriver à
Amsterdam ? Nous ne sortirons jamais de ce
bénitier immense. Ecoutez ! N'entendez-vous
pas les cris de goélands invisibles ? S'ils
crient vers nous, à quoi donc nous appel-
lent-ils ?

Mais ce sont les mêmes qui criaient, qui
appelaient déjà sur l'Atlantique, le jour où
je compris définitivement que je n'étais pas
guéri, que j'étais toujours coincé, et qu'il fallait m'en arranger. Finie la vie glorieuse,
mais finis aussi la rage et les soubresauts. Il
fallait se soumettre et reconnaître sa culpabilité. Il fallait vivre dans le malconfort.
C'est vrai, vous ne connaissez pas cette cel-

lule de basse-fosse qu'au Moyen Age on appelait le malconfort. En général, on vous y oubliait pour la vie. Cette cellule se distinguait des autres par d'ingénieuses dimensions. Elle n'était pas assez haute pour qu'on s'y tînt debout, mais pas assez large pour qu'on pût s'y coucher. Il fallait prendre le genre empêché, vivre en diagonale ; le sommeil était une chute, la veille un accroupissement. Mon cher, il y avait du génie, et je pèse mes mots, dans cette trouvaille si simple. Tous les jours, par l'immuable contrainte qui ankylosait son corps, le condamné apprenait qu'il était coupable et que l'innocence consiste à s'étirer joyeusement. Pouvez-vous imaginer dans cette cellule un habitué des cimes et des ponts supérieurs ? Quoi ? On pouvait vivre dans ces cellules et être innocent ? Improbable, hautement improbable ! Ou sinon mon raisonnement se casserait le nez. Que l'innocence en soit réduite à vivre bossue, je me refuse à considérer une seule seconde cette hypothèse. Du reste, nous ne pouvons affirmer l'innocence de personne, tandis que nous pouvons affirmer à coup sûr la culpabilité de tous.

Chaque homme témoigne du crime de tous les autres, voilà ma foi, et mon espérance.

Croyez-moi, les religions se trompent dès l'instant qu'elles font de la morale et qu'elles fulminent des commandements. Dieu n'est pas nécessaire pour créer la culpabilité, ni punir. Nos semblables y suffisent, aidés par nous-mêmes. Vous parliez du jugement dernier. Permettez-moi d'en rire respectueusement. Je l'attends de pied ferme : j'ai connu ce qu'il y a de pire, qui est le jugement des hommes. Pour eux, pas de circonstances atténuantes, même la bonne intention est imputée à crime. Avez-vous au moins entendu parler de la cellule des crachats qu'un peuple imagina récemment pour prouver qu'il était le plus grand de la terre ? Une boîte maçonnée où le prisonnier se tient debout, mais ne peut pas bouger. La solide porte qui le boucle dans sa coquille de ciment s'arrête à hauteur de menton. On ne voit donc que son visage sur lequel chaque gardien qui passe crache abondamment. Le prisonnier, coincé dans la cellule, ne peut s'essuyer, bien qu'il lui soit permis, il est vrai, de fermer les yeux. Eh bien, ça, mon cher, c'est une invention d'hommes. Ils n'ont pas eu besoin de Dieu pour ce petit chef-d'œuvre.

Alors ? Alors, la seule utilité de Dieu serait de garantir l'innocence et je verrais plutôt la religion comme une grande entreprise de blanchissage, ce qu'elle a été d'ailleurs, mais brièvement, pendant trois ans tout juste, et elle ne s'appelait pas religion. Depuis, le savon manque, nous avons le nez sale et nous nous mouchons mutuellement. Tous cancres, tous punis, crachons-nous dessus, et hop ! au malconfort ! C'est à qui crachera le premier, voilà tout. Je vais vous dire un grand secret, mon cher. N'attendez pas le jugement dernier. Il a lieu tous les jours.

Non, ce n'est rien, je frissonne un peu dans cette sacrée humidité. Nous sommes arrivés d'ailleurs. Voilà. Après vous. Mais restez encore, je vous prie, et accompagnez-moi. Je n'en ai pas fini, il faut continuer. Continuer, voilà ce qui est difficile. Tenez, savez-vous pourquoi on l'a crucifié, l'autre, celui auquel vous pensez en ce moment, peut-être ? Bon, il y avait des quantités de raisons à cela. Il y a toujours des raisons au meurtre d'un homme. Il est, au contraire, impossible de justifier qu'il vive. C'est pourquoi le crime trouve toujours des avocats et l'innocence, parfois seulement. Mais, à côté des raisons qu'on nous a très bien expliquées pendant deux mille ans, il y en avait une grande à cette affreuse agonie, et je ne sais pourquoi on la cache si soigneusement. La vraie raison est qu'il savait, lui, qu'il n'était pas tout à fait innocent. S'il ne portait pas le poids de la faute dont on l'accusait, il en avait commis d'autres, quand même il ignorait lesquelles. Les ignorait-il d'ailleurs ? Il était à la source, après tout ; il avait dû entendre parler d'un certain massacre des innocents. Les enfants de la Judée massacrés pendant que ses parents l'emmenaient en lieu sûr, pourquoi étaient-ils morts sinon à cause de lui ? Il ne l'avait pas voulu, bien sûr. Ces soldats sanglants, ces enfants coupés en deux lui faisaient horreur. Mais, tel qu'il était, je suis sûr qu'il ne pouvait les oublier. Et cette tristesse qu'on devine dans tous ses actes, n'était-ce pas la mélancolie inguérissable de celui qui entendait au long

des nuits la voix de Rachel, gémissant sur
ses petits et refusant toute consolation ? La
plainte s'élevait dans la nuit, Rachel appelait
ses enfants tués pour lui, et il était vivant !

Sachant ce qu'il savait, connaissant tout
de l'homme — ah ! qui aurait cru que le
crime n'est pas tant de faire mourir que de
ne pas mourir soi-même ! — confronté jour
et nuit à son crime innocent, il devenait trop
difficile pour lui de se maintenir et de continuer. Il valait mieux en finir, ne pas se
défendre, mourir, pour ne plus être seul à
vivre et pour aller ailleurs, là où, peut-être,
il serait soutenu. Il n'a pas été soutenu, il
s'en est plaint et, pour tout achever, on
l'a censuré. Oui, c'est le troisième évangé-
liste, je crois, qui a commencé de suppri-
mer sa plainte. « Pourquoi m'as-tu abandonné ? » c'était un cri séditieux, n'est-ce
pas ? Alors, les ciseaux ! Notez d'ailleurs
que si Luc n'avait rien supprimé, on aurait
à peine remarqué la chose ; elle n'aurait pas
pris tant de place, en tout cas. Ainsi, le cen-
seur crie ce qu'il proscrit. L'ordre du monde
aussi est ambigu.

Il n'empêche que le censuré, lui, n'a pu

continuer. Et je sais, cher, ce dont je parle.
Il fut un temps où j'ignorais, à chaque
minute, comment je pourrais atteindre la
suivante. Oui, on peut faire la guerre en ce
monde, singer l'amour, torturer son semblable, parader dans les journaux, ou simplement dire du mal de son voisin en tricotant.
Mais, dans certains cas, continuer, seulement
continuer, voilà ce qui est surhumain. Et lui
n'était pas surhumain, vous pouvez m'en
croire. Il a crié son agonie et c'est pourquoi
je l'aime, mon ami, qui est mort sans savoir.

Le malheur est qu'il nous a laissés seuls,
pour continuer, quoi qu'il arrive, même
lorsque nous nichons dans le malconfort,
sachant à notre tour ce qu'il savait, mais
incapables de faire ce qu'il a fait et de mourir comme lui. On a bien essayé, naturellement, de s'aider un peu de sa mort. Après
tout, c'était un coup de génie de nous dire :
« Vous n'êtes pas reluisants, bon, c'est un
fait. Eh bien, on ne va pas faire le détail !
On va liquider ça d'un coup, sur la croix ! »
Mais trop de gens grimpent maintenant sur
la croix seulement pour qu'on les voie de
plus loin, même s'il faut pour cela piétiner

un peu celui qui s'y trouve depuis si longtemps. Trop de gens ont décidé de se passer
de la générosité pour pratiquer la charité.
O l'injustice, l'injustice qu'on lui a faite et
qui me serre le cœur !

Allons, voilà que ça me reprend, je vais
plaider. Pardonnez-moi, comprenez que j'ai
mes raisons. Tenez, à quelques rues d'ici, il
y a un musée qui s'appelle « Notre-Seigneur
au grenier ». A l'époque, ils avaient placé
leurs catacombes sous les combles. Que voulez-vous, les caves, ici, sont inondées. Mais
aujourd'hui, rassurez-vous, leur Seigneur
n'est plus au grenier, ni à la cave. Ils l'ont
juché sur un tribunal, au secret de leur cœur,
et ils cognent, ils jugent surtout, ils jugent
en son nom. Il parlait doucement à la péche-
resse : « Moi non plus, je ne te condamne
pas ! » ; ça n'empêche rien, ils condamnent,
ils n'absolvent personne. Au nom du Seigneur, voilà ton compte. Seigneur ? Il n'en
demandait pas tant, mon ami. Il voulait
qu'on l'aime, rien de plus. Bien sûr, il y a
des gens qui l'aiment, même parmi les chrétiens. Mais on les compte. Il avait prévu ça
d'ailleurs, il avait le sens de l'humour. Pierre,

vous savez, le froussard, Pierre, donc, le
renie : « Je ne connais pas cet homme... Je
ne sais pas ce que tu veux dire... etc. » Vraiment, il exagérait ! Et lui fait un jeu de
mots : « Sur cette pierre, je bâtirai mon
église. » On ne pouvait pas pousser plus
loin l'ironie, vous ne trouvez pas ? Mais
non, ils triomphent encore ! « Vous voyez,
il l'avait dit ! » Il l'avait dit en effet, il
connaissait bien la question. Et puis il est
parti pour toujours, les laissant juger et
condamner, le pardon à la bouche et la sentence au cœur.

Car on ne peut pas dire qu'il n'y a plus de
pitié, non, grands dieux, nous n'arrêtons pas
d'en parler. Simplement, on n'acquitte plus
personne. Sur l'innocence morte, les juges
pullulent, les juges de toutes les races, ceux
du Christ et ceux de l'Antéchrist, qui sont
d'ailleurs les mêmes, réconciliés dans le malconfort. Car il ne faut pas accabler les seuls
chrétiens. Les autres aussi sont dans le coup.
Savez-vous ce qu'est devenue, dans cette
ville, l'une des maisons qui abrita Descartes ?
Un asile d'aliénés. Oui, c'est le délire général, et la persécution. Nous aussi, naturelle-

ment, nous sommes forcés de nous y mettre. Vous avez pu vous apercevoir que je n'épargne rien et, de votre côté, je sais que vous n'en pensez pas moins. Dès lors, puisque nous sommes tous juges, nous sommes tous coupables les uns devant les autres, tous christs à notre vilaine manière, un à un crucifiés, et toujours sans savoir. Nous le serions du moins, si moi, Clamence, je n'avais trouvé l'issue, la seule solution, la vérité enfin...

Non, je m'arrête, cher ami, ne craignez rien ! Je vais d'ailleurs vous quitter, nous voici à ma porte. Dans la solitude, la fatigue aidant, que voulez-vous, on se prend volontiers pour un prophète. Après tout, c'est bien là ce que je suis, réfugié dans un désert de pierres, de brumes et d'eaux pourries, prophète vide pour temps médiocres, Elie sans messie, bourré de fièvre et d'alcool, le dos collé à cette porte moisie, le doigt levé vers un ciel bas, couvrant d'imprécations des hommes sans loi qui ne peuvent supporter aucun jugement. Car ils ne peuvent le supporter, très cher, et c'est toute la question. Celui qui adhère à une loi ne craint pas le jugement qui le replace dans un ordre auquel il croit. Mais le plus haut des tourments humains est d'être jugé sans loi. Nous sommes pourtant dans ce tourment. Privés de leur frein naturel, les juges, déchaînés au hasard, mettent les bouchées doubles. Alors, n'est-ce pas, il faut bien essayer d'aller plus vite qu'eux ? Et c'est le grand branle-bas. Les prophètes et les guérisseurs se multiplient, ils se dépêchent pour arriver avec une bonne loi, ou une organisation impeccable, avant que la terre ne soit déserte. Heureusement, je suis arrivé, moi ! Je suis la fin et le commencement, j'annonce la loi. Bref, je suis juge-pénitent.

Oui, oui, je vous dirai demain en quoi consiste ce beau métier. Vous partez après-demain, nous sommes donc pressés. Venez chez moi, voulez-vous, vous sonnerez trois fois. Vous retournez à Paris ? Paris est loin, Paris est beau, je ne l'ai pas oublié. Je me souviens de ses crépuscules, à la même époque, à peu près. Le soir tombe, sec et crissant, sur les toits bleus de fumée, la ville gronde sourdement, le fleuve semble remonter son cours. J'errais alors dans les rues. Ils

errent aussi, maintenant, je le sais ! Ils
errent, faisant semblant de se hâter vers la
femme lasse, la maison sévère... Ah ! mon
ami, savez-vous ce qu'est la créature solitaire, errant dans les grandes villes ?...

Je suis confus de vous recevoir couché. Ce n'est rien, un peu de fièvre que je soigne au genièvre. J'ai l'habitude de ces accès. Du paludisme, je crois, que j'ai contracté du temps que j'étais pape. Non, je ne plaisante qu'à moitié. Je sais ce que vous pensez : il est bien difficile de démêler le vrai du faux dans ce que je raconte. Je confesse que vous avez raison. Moi-même... Voyez-vous, une personne de mon entourage divisait les êtres en trois catégories : ceux qui préfèrent n'avoir rien à cacher plutôt que d'être obligés de mentir, ceux qui préfèrent mentir plutôt que de n'avoir rien à cacher, et ceux enfin qui aiment en même temps le mensonge et le secret. Je vous laisse choisir la case qui me convient le mieux.

Qu'importe, après tout ? Les mensonges ne mettent-ils pas finalement sur la voie de la vérité ? Et mes histoires, vraies ou fausses, ne tendent-elles pas toutes à la même fin, n'ont-elles pas le même sens ? Alors, qu'importe qu'elles soient vraies ou fausses si, dans les deux cas, elles sont significatives de ce que j'ai été et de ce que je suis. On voit parfois plus clair dans celui qui ment que dans celui qui dit vrai. La vérité, comme la lumière, aveugle. Le mensonge, au contraire, est un beau crépuscule, qui met chaque objet en valeur. Enfin, prenez-le comme vous voudrez, mais j'ai été nommé pape dans un camp de prisonniers.

Asseyez-vous, je vous en prie. Vous regardez cette pièce. Nue, c'est vrai, mais propre. Un Vermeer, sans meubles ni casseroles. Sans livres, non plus, j'ai cessé de lire depuis longtemps. Autrefois, ma maison était pleine de livres à moitié lus. C'est aussi dégoûtant que ces gens qui écornent un foie gras et font jeter le reste. D'ailleurs, je n'aime plus que les confessions, et les auteurs de confession écrivent surtout pour ne pas se confesser, pour ne rien dire de ce qu'ils savent.

Quand ils prétendent passer aux aveux, c'est
le moment de se méfier, on va maquiller le
cadavre. Croyez-moi, je suis orfèvre. Alors,
j'ai coupé court. Plus de livres, plus de vains
objets non plus, le strict nécessaire, net et
verni comme un cercueil. D'ailleurs, ces lits
hollandais, si durs, avec des draps imma-
culés, on y meurt dans un linceul déjà,
embaumés de pureté.

Vous êtes curieux de connaître mes aven-
tures pontificales ? Rien que de banal, vous
savez. Aurai-je la force de vous en parler ?
Oui, il me semble que la fièvre diminue. Il
y a si longtemps de cela. C'était en Afrique
où, grâce à M. Rommel, la guerre flambait.
Je n'y étais pas mêlé, non, rassurez-vous.
J'avais déjà coupé à celle d'Europe. Mobi-
lisé bien sûr, mais je n'ai jamais vu le feu.
Dans un sens, je le regrette. Peut-être cela
aurait-il changé beaucoup de choses ? L'ar-
mée française n'a pas eu besoin de moi sur
le front. Elle m'a seulement demandé de
participer à la retraite. J'ai retrouvé Paris
ensuite, et les Allemands. J'ai été tenté par
la Résistance dont on commençait à parler,
à peu près au moment où j'ai découvert que

j'étais patriote. Vous souriez ? Vous avez
tort. Je fis ma découverte dans les couloirs
du métro, au Châtelet. Un chien s'était
égaré dans le labyrinthe. Grand, le poil
raide, une oreille cassée, les yeux amusés, il
gambadait, flairait les mollets qui passaient.
J'aime les chiens d'une très vieille et très
fidèle tendresse. Je les aime parce qu'ils pardonnent toujours. J'appelai celui-ci qui
hésita, visiblement conquis, l'arrière-train
enthousiaste, à quelques mètres devant moi.
A ce moment, un jeune soldat allemand qui
marchait allégrement me dépassa. Arrivé
devant le chien, il lui caressa la tête. Sans
hésiter, l'animal lui emboîta le pas, avec le
même enthousiasme, et disparut avec lui. Au
dépit, et à la sorte de fureur que je sentis
contre le soldat allemand, il me fallut bien
reconnaître que ma réaction était patrio-
tique. Si le chien avait suivi un civil français, je n'y aurais même pas pensé. J'imaginais au contraire ce sympathique animal
devenu mascotte d'un régiment allemand et
cela me mettait en fureur. Le test était donc
convaincant.

Je gagnai la zone Sud avec l'intention de

me renseigner sur la Résistance. Mais une fois rendu, et renseigné, j'hésitai. L'entreprise me paraissait un peu folle et, pour tout dire, romantique. Je crois surtout que l'action souterraine ne convenait ni à mon tempérament, ni à mon goût des sommets aérés. Il me semblait qu'on me demandait de faire de la tapisserie dans une cave, à longueur de jours et de nuits, en attendant que des brutes viennent m'y débusquer, défaire d'abord ma tapisserie et me traîner ensuite dans une autre cave pour m'y frapper jusqu'à la mort. J'admirais ceux qui se livraient à cet héroïsme des profondeurs, mais ne pouvais les imiter.

Je passai donc en Afrique du Nord avec la vague intention de rejoindre Londres. Mais, en Afrique, la situation n'était pas claire, les partis opposés me paraissaient avoir également raison et je m'abstins. Je vois à votre air que je passe bien vite, selon vous, sur ces détails qui ont du sens. Eh bien, disons que, vous ayant jugé sur votre vraie valeur, je les passe vite pour que vous les remarquiez mieux. Toujours est-il que je gagnai finalement la Tunisie où une tendre

amie m'assurait du travail. Cette amie était
une créature fort intelligente qui s'occupait
de cinéma. Je la suivis à Tunis et je ne
connus son vrai métier que les jours qui
suivirent le débarquement des Alliés en
Algérie. Elle fut arrêtée ce jour-là par les
Allemands et moi aussi, mais sans l'avoir
voulu. Je ne sais ce qu'elle devint. Quant à
moi, on ne me fit aucun mal et je compris,
après de fortes angoisses, qu'il s'agissait surtout d'une mesure de sûreté. Je fus interné
près de Tripoli, dans un camp où l'on souffrait de soif et de dénuement plus que de
mauvais traitements. Je ne vous en fais pas
la description. Nous autres, enfants du demi-
siècle, n'avons pas besoin de dessin pour imaginer ces sortes d'endroits. Il y a cent cinquante ans, on s'attendrissait sur les lacs et
les forêts. Aujourd'hui, nous avons le lyrisme
cellulaire. Donc, je vous fais confiance. Vous
n'ajouterez que quelques détails : la chaleur,
le soleil vertical, les mouches, le sable,
l'absence d'eau.

Il y avait avec moi un jeune Français, qui
avait la foi. Oui ! c'est un conte de fées,
décidément. Le genre Duguesclin, si vous

voulez. Il était passé de France en Espagne
pour aller se battre. Le général catholique
l'avait interné et d'avoir vu que, dans les
camps franquistes, les pois chiches étaient,
si j'ose dire, bénis par Rome, l'avait jeté
dans une profonde tristesse. Ni le ciel
d'Afrique, où il avait échoué ensuite, ni les
loisirs du camp ne l'avaient tiré de cette tristesse. Mais ses réflexions, et aussi le soleil,
l'avaient un peu sorti de son état normal.
Un jour où, sous une tente ruisselante de
plomb fondu, la dizaine d'hommes que nous
étions haletaient parmi les mouches, il renou-
vela ses diatribes contre celui qu'il appelait
le Romain. Il nous regardait d'un air égaré,
avec sa barbe de plusieurs jours. Son torse
nu était couvert de sueur, ses mains piano-
taient sur le clavier visible des côtes. Il nous
déclarait qu'il fallait un nouveau pape qui
vécût parmi les malheureux, au lieu de prier
sur un trône, et que le plus vite serait le
mieux. Il nous fixait de ses yeux égarés en
secouant la tête. « Oui, répétait-il, le plus
vite possible ! » Puis il se calma d'un coup,
et, d'une voix morne, dit qu'il fallait le
choisir parmi nous, prendre un homme

complet, avec ses défauts et ses vertus, et lui
jurer obéissance, à la seule condition qu'il
acceptât de maintenir vivante, en lui et chez
les autres, la communauté de nos souffrances.
« Qui d'entre nous, dit-il, a le plus de faiblesses ? » Par plaisanterie, je levai le doigt,
et fus seul à le faire. « Bien, Jean-Baptiste
fera l'affaire. » Non, il ne dit pas cela
puisque j'avais alors un autre nom. Il déclara
du moins que se désigner comme je l'avais
fait supposait aussi la plus grande vertu et
proposa de m'élire. Les autres acquiescèrent,
par jeu, avec, cependant, une trace de gravité. La vérité est que Duguesclin nous avait
impressionnés. Moi-même, il me semble bien
que je ne riais pas tout à fait. Je trouvai
d'abord que mon petit prophète avait raison et puis le soleil, les travaux épuisants, la
bataille pour l'eau, bref, nous n'étions pas
dans notre assiette. Toujours est-il que
j'exerçai mon pontificat pendant plusieurs
semaines, de plus en plus sérieusement.

En quoi consistait-il ? Ma foi, j'étais
quelque chose comme chef de groupe ou
secrétaire de cellule. Les autres, de toute
manière, et même ceux qui n'avaient pas la

foi, prirent l'habitude de m'obéir. Duguesclin souffrait ; j'administrais sa souffrance. Je me suis aperçu alors qu'il n'était pas si facile qu'on le croyait d'être pape et je m'en suis encore souvenu, hier, après vous avoir fait tant de discours dédaigneux sur les juges, nos frères. Le grand problème, dans le camp, était la distribution d'eau. D'autres groupes s'étaient formés, politiques et confessionnels, et chacun favorisait ses camarades. Je fus donc amené à favoriser les miens, ce qui était déjà une petite concession. Même parmi nous, je ne pus maintenir une parfaite égalité. Selon l'état de mes camarades, ou les travaux qu'ils avaient à faire, j'avantageais tel ou tel. Ces distinctions mènent loin, vous pouvez m'en croire. Mais, décidément, je suis fatigué et n'ai plus envie de penser à cette époque. Disons que j'ai bouclé la boucle le jour où j'ai bu l'eau d'un camarade agonisant. Non, non, ce n'était pas Duguesclin, il était déjà mort, je crois, il se privait trop. Et puis, s'il avait été là, pour l'amour de lui, j'aurais résisté plus longtemps, car je l'aimais, oui, je l'aimais, il me semble du moins. Mais j'ai bu l'eau, cela est sûr, en me

persuadant que les autres avaient besoin de
moi, plus que de celui-ci qui allait mourir
de toute façon, et je devais me conserver à
eux. C'est ainsi, cher, que naissent les
empires et les églises, sous le soleil de la
mort. Et pour corriger un peu mes discours
d'hier, je vais vous dire la grande idée qui
m'est venue en parlant de tout ceci dont je
ne sais même plus si je l'ai vécu ou rêvé. Ma
grande idée est qu'il faut pardonner au
pape. D'abord, il en a plus besoin que personne. Ensuite, c'est la seule manière de
se mettre au-dessus de lui...

Oh ! avez-vous bien fermé la porte ? Oui ?
Vérifiez, s'il vous plaît. Pardonnez-moi, j'ai
le complexe du verrou. Au moment de m'en-
dormir, je ne puis jamais savoir si j'ai poussé
le verrou. Chaque soir, je dois me lever pour
le vérifier. On n'est sûr de rien, je vous l'ai
dit. Ne croyez pas que cette inquiétude du
verrou soit chez moi une réaction de propriétaire apeuré. Autrefois, je ne fermais pas
mon appartement à clé, ni ma voiture. Je
ne serrais pas mon argent, je ne tenais pas
à ce que je possédais. A vrai dire, j'avais
un peu honte de posséder. Ne m'arrivait-il

pas, dans mes discours mondains, de m'écrier
avec conviction : « La propriété, messieurs,
c'est le meurtre ! » N'ayant pas le cœur
assez grand pour partager mes richesses avec
un pauvre bien méritant, je les laissais à la
disposition des voleurs éventuels, espérant
ainsi corriger l'injustice par le hasard.
Aujourd'hui, du reste, je ne possède rien. Je
ne m'inquiète donc pas de ma sécurité,
mais de moi-même et de ma présence d'esprit. Je tiens aussi à condamner la porte du
petit univers bien clos dont je suis le roi, le
pape et le juge.

A propos, voulez-vous ouvrir ce placard,
s'il vous plaît. Ce tableau, oui, regardez-le.
Ne le reconnaissez-vous pas ? Ce sont *Les
Juges intègres*. Vous ne sursautez pas ?
Votre culture aurait donc des trous ? Si vous
lisiez pourtant les journaux, vous vous rap-
pelleriez le vol, en 1934, à Gand, dans la
cathédrale Saint-Bavon, d'un des panneaux
du fameux retable de Van Eyck, *L'Agneau
mystique*. Ce panneau s'appelait *Les Juges
intègres*. Il représentait des juges à cheval
venant adorer le saint animal. On l'a remplacé par une excellente copie, car l'origi-

nal est demeuré introuvable. Eh bien, le voici. Non, je n'y suis pour rien. Un habitué de *Mexico-City,* que vous avez aperçu l'autre soir, l'a vendu pour une bouteille au gorille, un soir d'ivresse. J'ai d'abord conseillé à notre ami de l'accrocher en bonne place et longtemps, pendant qu'on les recherchait dans le monde entier, nos juges dévots ont trôné à *Mexico-City,* au-dessus des ivrognes et des souteneurs. Puis le gorille, sur ma demande, l'a mis en dépôt ici. Il rechignait un peu à le faire, mais il a pris peur quand je lui ai expliqué l'affaire. Depuis, ces estimables magistrats font ma seule compagnie. Là-bas, au-dessus du comptoir, vous avez vu quel vide ils ont laissé.

Pourquoi je n'ai pas restitué le panneau ? Ah ! ah ! vous avez le réflexe policier, vous ! Eh bien, je vous répondrai comme je le ferais au magistrat instructeur, si seulement quelqu'un pouvait enfin s'aviser que ce tableau a échoué dans ma chambre. Premièrement, parce qu'il n'est pas à moi, mais au patron de *Mexico-City* qui le mérite bien autant que l'évêque de Gand. Deuxièmement, parce que parmi ceux qui défilent

devant *L'Agneau mystique,* personne ne saurait distinguer la copie de l'original et qu'en
conséquence nul, par ma faute, n'est lésé.
Troisièmement, parce que, de cette manière,
je domine. De faux juges sont proposés à
l'admiration du monde et je suis seul à
connaître les vrais. Quatrièmement, parce
que j'ai une chance, ainsi, d'être envoyé en
prison, idée alléchante, d'une certaine manière. Cinquièmement, parce que ces juges
vont au rendez-vous de l'Agneau, qu'il n'y a
plus d'agneau, ni d'innocence, et qu'en
conséquence, l'habile forban qui a volé le
panneau était un instrument de la justice
inconnue qu'il convient de ne pas contrarier.
Enfin, parce que de cette façon, nous sommes dans l'ordre. La justice étant définitivement séparée de l'innocence, celle-ci sur la
croix, celle-là au placard, j'ai le champ libre
pour travailler selon mes convictions. Je
peux exercer avec bonne conscience la difficile profession de juge-pénitent où je me
suis établi après tant de déboires et de contra-
dictions, et dont il est temps, puisque vous
partez, que je vous dise enfin ce qu'elle est.

Permettez auparavant que je me redresse

pour mieux respirer. Oh ! que je suis fatigué ! Mettez mes juges sous clé, merci. Ce métier de juge-pénitent, je l'exerce en ce moment. D'habitude, mes bureaux se trouvent à *Mexico-City*. Mais les grandes vocations se prolongent au-delà du lieu de travail. Même au lit, même fiévreux, je fonctionne. Ce métier-là, d'ailleurs, on ne l'exerce pas, on le respire, à toute heure. Ne croyez pas en effet que, pendant cinq jours, je vous aie fait de si longs discours pour le seul plaisir. Non, j'ai assez parlé pour ne rien dire, autrefois. Maintenant mon discours est orienté. Il est orienté par l'idée, évidemment, de faire taire les rires, d'éviter personnellement le jugement, bien qu'il n'y ait, en apparence, aucune issue. Le grand empêchement à y échapper n'est-il pas que nous sommes les premiers à nous condamner ? Il faut donc commencer par étendre la condamnation à tous, sans discrimination, afin de la délayer déjà.

Pas d'excuses, jamais, pour personne, voilà mon principe, au départ. Je nie la bonne intention, l'erreur estimable, le faux pas, la circonstance atténuante. Chez moi, on ne

bénit pas, on ne distribue pas d'absolution.
On fait l'addition, simplement, et puis :
« Ça fait tant. Vous êtes un pervers, un
satyre, un mythomane, un pédéraste, un
artiste, etc. » Comme ça. Aussi sec. En phi-
losophie comme en politique, je suis donc
pour toute théorie qui refuse l'innocence à
l'homme et pour toute pratique qui le traite
en coupable. Vous voyez en moi, très cher,
un partisan éclairé de la servitude.

Sans elle, à vrai dire, il n'y a point de
solution définitive. J'ai très vite compris cela.
Autrefois, je n'avais que la liberté à la
bouche. Je l'étendais au petit déjeuner sur
mes tartines, je la mastiquais toute la
journée, je portais dans le monde une
haleine délicieusement rafraîchie à la
liberté. J'assenais ce maître mot à quiconque
me contredisait, je l'avais mis au service
de mes désirs et de ma puissance. Je le
murmurais au lit, dans l'oreille endormie
de mes compagnes et il m'aidait à les
planter là. Je le glissais... Allons, je m'excite
et je perds la mesure. Après tout, il m'est
arrivé de faire de la liberté un usage plus
désintéressé et même, jugez de ma naïveté,

de la défendre deux ou trois fois, sans aller
sans doute jusqu'à mourir pour elle, mais en
prenant quelques risques. Il faut me pardonner ces imprudences ; je ne savais pas ce que
je faisais. Je ne savais pas que la liberté n'est
pas une récompense, ni une décoration qu'on
fête dans le champagne. Ni d'ailleurs un
cadeau, une boîte de chatteries propres à
vous donner des plaisirs de babines. Oh !
non, c'est une corvée, au contraire, et une
course de fond, bien solitaire, bien exté-
nuante. Pas de champagne, point d'amis qui
lèvent leur verre en vous regardant avec tendresse. Seul dans une salle morose, seul dans
le box, devant les juges, et seul pour
décider, devant soi-même ou devant le jugement des autres. Au bout de toute liberté,
il y a une sentence ; voilà pourquoi la liberté
est trop lourde à porter, surtout lorsqu'on
souffre de fièvre, ou qu'on a de la peine, ou
qu'on n'aime personne.

Ah ! mon cher, pour qui est seul, sans
dieu et sans maître, le poids des jours est
terrible. Il faut donc se choisir un maître,
Dieu n'étant plus à la mode. Ce mot
d'ailleurs n'a plus de sens ; il ne vaut pas

qu'on risque de choquer personne. Tenez,
nos moralistes, si sérieux, aimant leur prochain et tout, rien ne les sépare, en somme,
de l'état de chrétien, si ce n'est qu'ils ne
prêchent pas dans les églises. Qu'est-ce qui
les empêche, selon vous, de se convertir ? Le
respect, peut-être, le respect des hommes,
oui, le respect humain. Ils ne veulent pas
faire scandale, ils gardent leurs sentiments
pour eux. J'ai connu ainsi un romancier
athée qui priait tous les soirs. Ça n'empê-
chait rien : qu'est-ce qu'il passait à Dieu
dans ses livres ! Quelle dérouillée, comme
dirait je ne sais plus qui ! Un militant libre
penseur à qui je m'en ouvris leva, sans mauvaise intention d'ailleurs, les bras au ciel :
« Vous ne m'apprenez rien, soupirait cet
apôtre, ils sont tous comme ça. » A l'en
croire, quatre-vingts pour cent de nos écri-
vains, si seulement ils pouvaient ne pas
signer, écriraient et salueraient le nom de
Dieu. Mais ils signent, selon lui, parce qu'ils
s'aiment, et ils ne saluent rien du tout, parce
qu'ils se détestent. Comme ils ne peuvent
tout de même pas s'empêcher de juger, alors
ils se rattrapent sur la morale. En somme,

ils ont le satanisme vertueux. Drôle d'époque, vraiment ! Quoi d'étonnant à ce que les esprits soient troublés et qu'un de mes amis, athée lorsqu'il était un mari irréprochable, se soit converti en devenant adultère !

Ah ! les petits sournois, comédiens, hypocrites, si touchants avec ça ! Croyez-moi, ils en sont tous, même quand ils incendient le ciel. Qu'ils soient athées ou dévots, moscovites ou bostoniens, tous chrétiens, de père en fils. Mais justement, il n'y a plus de père, plus de règle ! On est libre, alors il faut se débrouiller et comme ils ne veulent surtout pas de la liberté, ni de ses sentences, ils prient qu'on leur donne sur les doigts, ils inventent de terribles règles, ils courent construire des bûchers pour remplacer les églises. Des Savonarole, je vous dis. Mais ils ne croient qu'au péché, jamais à la grâce. Ils y pensent, bien sûr. La grâce, voilà ce qu'ils veulent, le oui, l'abandon, le bonheur d'être et qui sait, car ils sont sentimentaux aussi, les fiançailles, la jeune fille fraîche, l'homme droit, la musique. Moi, par exemple, qui ne suis pas sentimental, savez-vous ce dont j'ai rêvé : un amour complet de tout le cœur et le corps, jour et nuit, dans une étreinte incessante, jouissant et s'exaltant, et cela cinq années durant, et après quoi la mort. Hélas !

Alors, n'est-ce pas, faute de fiançailles ou de l'amour incessant, ce sera le mariage, brutal, avec la puissance et le fouet. L'essentiel est que tout devienne simple, comme pour l'enfant, que chaque acte soit commandé, que le bien et le mal soient désignés de façon arbitraire, donc évidente. Et moi, je suis d'accord, tout sicilien et javanais que je sois, avec ça pas chrétien pour un sou, bien que j'aie de l'amitié pour le premier d'entre eux. Mais sur les ponts de Paris, j'ai appris moi aussi que j'avais peur de la liberté. Vive donc le maître, quel qu'il soit, pour remplacer la loi du ciel. « Notre père qui êtes provisoirement ici... Nos guides, nos chefs délicieusement sévères, ô conducteurs cruels et bien-aimés... » Enfin, vous voyez, l'essentiel est de n'être plus libre et d'obéir, dans le repentir, à plus coquin que soi. Quand nous serons tous coupables, ce sera la démocratie. Sans compter, cher ami, qu'il faut se venger de devoir mourir seul. La mort est solitaire tandis que la servitude est collective. Les autres ont leur compte aussi, et en même temps que nous, voilà l'important. Tous réunis, enfin, mais à genoux, et la tête courbée.

N'est-il pas bon aussi bien de vivre à la ressemblance de la société et pour cela ne faut-il pas que la société me ressemble ? La menace, le déshonneur, la police sont les sacrements de cette ressemblance. Méprisé, traqué, contraint, je puis alors donner ma pleine mesure, jouir de ce que je suis, être naturel enfin. Voilà pourquoi, très cher, après avoir salué solennellement la liberté, je décidai en catimini qu'il fallait la remettre sans délai à n'importe qui. Et chaque fois que je le peux, je prêche dans mon église de *Mexico-City,* j'invite le bon peuple à se soumettre et à briguer humblement les conforts de la servitude, quitte à la présenter comme la vraie liberté.

Mais je ne suis pas fou, je me rends bien compte que l'esclavage n'est pas pour demain. Ce sera un des bienfaits de l'avenir, voilà tout. D'ici là, je dois m'arranger du présent et chercher une solution, au moins provisoire. Il m'a donc fallu trouver un autre moyen d'étendre le jugement à tout le monde pour le rendre plus léger à mes propres épaules. J'ai trouvé ce moyen. Ouvrez un peu la fenêtre, je vous prie, il fait ici une chaleur extraordinaire. Pas trop, car j'ai froid aussi. Mon idée est à la fois simple et féconde. Comment mettre tout le monde dans le bain pour avoir le droit de se sécher soi-même au soleil ? Allais-je monter en chaire, comme beaucoup de mes illustres contemporains, et maudire l'humanité ? Très dangereux, ça ! Un jour, ou une nuit, le rire éclate sans crier gare. La sentence que vous portez sur les autres finit par vous revenir dans la figure, tout droit, et y pratique quelques dégâts. Alors ? dites-vous. Eh bien, voilà le coup de génie. J'ai découvert qu'en attendant la venue des maîtres et de leurs verges, nous devions, comme Copernic, inverser le raisonnement pour triompher. Puisqu'on ne pouvait condamner les autres sans aussitôt se juger, il fallait s'accabler soi-même pour avoir le droit de juger les autres. Puisque tout juge finit un jour en pénitent, il fallait prendre la route en sens inverse et faire métier de pénitent pour pouvoir finir en juge. Vous me suivez ? Bon. Mais pour être encore plus clair, je vais vous dire comment je travaille.

J'ai d'abord fermé mon cabinet d'avocat, quitté Paris, voyagé ; j'ai cherché à m'établir sous un autre nom dans quelque endroit où la pratique ne me manquerait pas. Il y en a beaucoup dans le monde, mais le hasard, la commodité, l'ironie, et la nécessité aussi d'une certaine mortification, m'ont fait choisir une capitale d'eaux et de brumes, corsetée de canaux, particulièrement encombrée, et visitée par des hommes venus du monde entier. J'ai installé mon cabinet dans un bar du quartier des matelots. La clientèle des ports est diverse. Les pauvres ne vont pas dans les districts luxueux, tandis que les gens de qualité finissent toujours par échouer, une fois au moins, vous l'avez bien vu, dans les endroits mal famés. Je guette particulièrement le bourgeois, et le bourgeois qui s'égare ; c'est avec lui que je donne mon plein rendement. Je tire de lui, en virtuose, les accents les plus raffinés.

J'exerce donc à *Mexico-City,* depuis quelque temps, mon utile profession. Elle
consiste d'abord, vous en avez fait l'expérience, à pratiquer la confession publique
aussi souvent que possible. Je m'accuse, en
long et en large. Ce n'est pas difficile, j'ai
maintenant de la mémoire. Mais attention,
je ne m'accuse pas grossièrement, à grands
coups sur la poitrine. Non, je navigue sou-
plement, je multiplie les nuances, les digressions aussi, j'adapte enfin mon discours à
l'auditeur, j'amène ce dernier à renchérir. Je
mêle ce qui me concerne et ce qui regarde
les autres. Je prends les traits communs, les
expériences que nous avons ensemble souf-
fertes, les faiblesses que nous partageons, le
bon ton, l'homme du jour enfin, tel qu'il
sévit en moi et chez les autres. Avec cela, je
fabrique un portrait qui est celui de tous et
de personne. Un masque, en somme, assez
semblable à ceux du carnaval, à la fois fidèles
et simplifiés, et devant lesquels on se dit :
« Tiens, je l'ai rencontré, celui-là ! » Quand
le portrait est terminé, comme ce soir, je le
montre, plein de désolation : « Voilà, hélas !
ce que je suis. » Le réquisitoire est achevé.

Mais, du même coup, le portrait que je tends à mes contemporains devient un miroir.

Couvert de cendres, m'arrachant lentement les cheveux, le visage labouré par les ongles, mais le regard perçant, je me tiens devant l'humanité entière, récapitulant mes hontes, sans perdre de vue l'effet que je produis, et disant : « J'étais le dernier des derniers. » Alors, insensiblement, je passe, dans mon discours, du « je » au « nous ». Quand j'arrive au « voilà ce que nous sommes », le tour est joué, je peux leur dire leurs vérités. Je suis comme eux, bien sûr, nous sommes dans le même bouillon. J'ai cependant une supériorité, celle de le savoir, qui me donne le droit de parler. Vous voyez l'avantage, j'en suis sûr. Plus je m'accuse et plus j'ai le droit de vous juger. Mieux, je vous provoque à vous juger vous-même, ce qui me soulage d'autant. Ah ! mon cher, nous sommes d'étranges, de misérables créatures et, pour peu que nous revenions sur nos vies, les occasions ne manquent pas de nous étonner et de nous scandaliser nous-mêmes. Essayez. J'écouterai, soyez-en sûr, votre propre confession, avec un grand sentiment de fraternité.

Ne riez pas ! Oui, vous êtes un client difficile, je l'ai vu du premier coup. Mais vous y viendrez, c'est inévitable. La plupart des autres sont plus sentimentaux qu'intelligents ; on les désoriente tout de suite. Les intelligents, il faut y mettre le temps. Il suffit de leur expliquer la méthode à fond. Ils ne l'oublient pas, ils réfléchissent. Un jour ou l'autre, moitié par jeu, moitié par désarroi, ils se mettent à table. Vous, vous n'êtes pas seulement intelligent, vous avez l'air rodé. Avouez cependant que vous vous sentez, aujourd'hui, moins content de vous-même que vous ne l'étiez il y a cinq jours ? J'attendrai maintenant que vous m'écriviez ou que vous reveniez. Car vous reviendrez, j'en suis sûr ! Vous me trouverez inchangé. Et pourquoi changerais-je puisque j'ai trouvé le bonheur qui me convient ? J'ai accepté la duplicité au lieu de m'en désoler. Je m'y suis installé, au contraire, et j'y ai trouvé le confort que j'ai cherché toute ma vie. J'ai eu tort, au fond, de vous dire que l'essentiel était d'éviter le jugement. L'essentiel est de

pouvoir tout se permettre, quitte à professer
de temps en temps, à grands cris, sa propre
indignité. Je me permets tout, à nouveau,
et sans rire, cette fois. Je n'ai pas changé de
vie, je continue de m'aimer et de me servir
des autres. Seulement, la confession de mes
fautes me permet de recommencer plus légè-
rement et de jouir deux fois, de ma nature
d'abord, et ensuite d'un charmant repentir.

Depuis que j'ai trouvé ma solution, je
m'abandonne à tout, aux femmes, à l'orgueil, à l'ennui, au ressentiment, et même à
la fièvre qu'avec délices je sens monter en ce
moment. Je règne enfin, mais pour toujours.
J'ai encore trouvé un sommet, où je suis seul
à grimper et d'où je peux juger tout le
monde. Parfois, de loin en loin, quand la
nuit est vraiment belle, j'entends un rire
lointain, je doute à nouveau. Mais, vite, j'accable toutes choses, créatures et création,
sous le poids de ma propre infirmité, et me
voilà requinqué.

J'attendrai donc vos hommages à *Mexico-
City,* aussi longtemps qu'il le faudra. Mais
ôtez cette couverture, je veux respirer. Vous
viendrez, n'est-ce pas ? Je vous montrerai

même les détails de ma technique, car j'ai
une sorte d'affection pour vous. Vous me
verrez leur apprendre à longueur de nuit
qu'ils sont infâmes. Dès ce soir, d'ailleurs,
je recommencerai. Je ne puis m'en passer,
ni me priver de ces moments où l'un d'eux
s'écroule, l'alcool aidant, et se frappe la poitrine. Alors je grandis, très cher, je grandis,
je respire librement, je suis sur la montagne,
la plaine s'étend sous mes yeux. Quelle
ivresse de se sentir Dieu le père et de
distribuer des certificats définitifs de mauvaise vie et mœurs. Je trône parmi mes
vilains anges, à la cime du ciel hollandais,
je regarde monter vers moi, sortant des
brumes et de l'eau, la multitude du jugement dernier. Ils s'élèvent lentement, je vois
arriver déjà le premier d'entre eux. Sur sa
face égarée, à moitié cachée par une main,
je lis la tristesse de la condition commune,
et le désespoir de ne pouvoir y échapper. Et
moi, je plains sans absoudre, je comprends
sans pardonner et surtout, ah, je sens enfin
que l'on m'adore !

Oui, je m'agite, comment resterais-je sage-
ment couché ? Il me faut être plus haut que

vous, mes pensées me soulèvent. Ces nuits-là,
ces matins plutôt, car la chute se produit à
l'aube, je sors, je vais, d'une marche empor-
tée, le long des canaux. Dans le ciel livide,
les couches de plumes s'amincissent, les
colombes remontent un peu, une lueur rosée
annonce, au ras des toits, un nouveau jour
de ma création. Sur le Damrak, le premier
tramway fait tinter son timbre dans l'air
humide et sonne l'éveil de la vie à l'extrémité
de cette Europe où, au même moment, des
centaines de millions d'hommes, mes sujets,
se tirent péniblement du lit, la bouche amère,
pour aller vers un travail sans joie. Alors,
planant par la pensée au-dessus de tout ce
continent qui m'est soumis sans le savoir,
buvant le jour d'absinthe qui se lève, ivre
enfin de mauvaises paroles, je suis heureux,
je suis heureux, vous dis-je, je vous interdis
de ne pas croire que je suis heureux, je suis
heureux à mourir ! Oh, soleil, plages, et les
îles sous les alizés, jeunesse dont le souvenir
désespère !

Je me recouche, pardonnez-moi. Je crains
de m'être exalté ; je ne pleure pas, pourtant.
On s'égare parfois, on doute de l'évidence,

même quand on a découvert les secrets d'une
bonne vie. Ma solution, bien sûr, ce n'est pas
l'idéal. Mais quand on n'aime pas sa vie,
quand on sait qu'il faut en changer, on n'a
pas le choix, n'est-ce pas ? Que faire pour
être un autre ? Impossible. Il faudrait n'être
plus personne, s'oublier pour quelqu'un, une
fois, au moins. Mais comment ? Ne m'acca-
blez pas trop. Je suis comme ce vieux mendiant qui ne voulait pas lâcher ma main, un
jour, à la terrasse d'un café : « Ah ! monsieur, disait-il, ce n'est pas qu'on soit mauvais homme, mais on perd la lumière. »
Oui, nous avons perdu la lumière, les
matins, la sainte innocence de celui qui se
pardonne à lui-même.

Regardez, la neige tombe ! Oh, il faut que
je sorte ! Amsterdam endormie dans la nuit
blanche, les canaux de jade sombre sous les
petits ponts neigeux, les rues désertes, mes
pas étouffés, ce sera la pureté, fugitive, avant
la boue de demain. Voyez les énormes
flocons qui s'ébouriffent contre les vitres. Ce
sont les colombes, sûrement. Elles se déci-
dent enfin à descendre, ces chéries, elles cou-
vrent les eaux et les toits d'une épaisse

couche de plumes, elles palpitent à toutes les
fenêtres. Quelle invasion ! Espérons qu'elles
apportent la bonne nouvelle. Tout le monde
sera sauvé, hein, et pas seulement les élus,
les richesses et les peines seront partagées et
vous, par exemple, à partir d'aujourd'hui,
vous coucherez toutes les nuits sur le sol,
pour moi. Toute la lyre, quoi ! Allons,
avouez que vous resteriez pantois si un
char descendait du ciel pour m'emporter, ou
si la neige soudain prenait feu. Vous n'y
croyez pas ? Moi non plus. Mais il faut tout
de même que je sorte.

Bon, bon, je me tiens tranquille, ne vous
inquiétez pas ! Ne vous fiez pas trop d'ailleurs à mes attendrissements, ni à mes
délires. Ils sont dirigés. Tenez, maintenant
que vous allez me parler de vous, je vais
savoir si l'un des buts de ma passionnante
confession est atteint. J'espère toujours, en
effet, que mon interlocuteur sera policier et
qu'il m'arrêtera pour le vol des *Juges
intègres*. Pour le reste, n'est-ce pas, personne
ne peut m'arrêter. Mais quant à ce vol, il
tombe sous le coup de la loi et j'ai tout
arrangé pour me rendre complice ; je recèle

ce tableau et le montre à qui veut le voir. Vous m'arrêteriez donc, ce serait un bon début. Peut-être s'occuperait-on ensuite du reste, on me décapiterait, par exemple, et je n'aurais plus peur de mourir, je serais sauvé. Au-dessus du peuple assemblé, vous élèveriez alors ma tête encore fraîche, pour qu'ils s'y reconnaissent et qu'à nouveau je les domine, exemplaire. Tout serait consommé, j'aurais achevé, ni vu ni connu, ma carrière de faux prophète qui crie dans le désert et refuse d'en sortir.

Mais, bien entendu, vous n'êtes pas policier, ce serait trop simple. Comment ? Ah ! je m'en doutais, voyez-vous. Cette étrange affection que je sentais pour vous avait donc du sens. Vous exercez à Paris la belle profession d'avocat ! Je savais bien que nous étions de la même race. Ne sommes-nous pas tous semblables, parlant sans trêve et à personne, confrontés toujours aux mêmes questions bien que nous connaissions d'avance les réponses ? Alors, racontez-moi, je vous prie, ce qui vous est arrivé un soir sur les quais de la Seine et comment vous avez réussi à ne jamais risquer votre vie. Prononcez vous-même les mots qui, depuis des années, n'ont cessé de retentir dans mes nuits, et que je dirai enfin par votre bouche : « O jeune fille, jette-toi encore dans l'eau pour que j'aie une seconde fois la chance de nous sauver tous les deux ! » Une seconde fois, hein, quelle imprudence ! Supposez, cher maître, qu'on nous prenne au mot ? Il faudrait s'exécuter. Brr... ! l'eau est si froide ! Mais rassurons-nous ! Il est trop tard, maintenant, il sera toujours trop tard. Heureusement !

IMPRIMERIE DE LAGNY
EMMANUEL GREVIN ET FILS
- - - - - 4-1962 - - - - -

Dépôt légal : 2ᵉ trimestre 1958.
Nᵒ d'Édition : 8812. — Nᵒ d'Impression : 6990.
Imprimé en France.